光文社文庫

もしも、私があなただったら

白石一文

KOBUNSHA

光 文 社

解説　大井 実

もしも、私があなただったら

a

十月に入っても博多の街は最高気温が三十度を超える日々が続いていたが、月半ばを過ぎた頃からようやく残暑も一息ついて、秋めいた涼しい風が昼間のあいだも吹くようになってきた。

二〇〇五年十月二十四日月曜日。

藤川《ふじかわ》啓吾《けいご》は昨夜押入れから引っ張りだした羽毛布団にくるまって目を覚ました。

昔から寝起きは悪い方ではないが、それにしても滅多にないような、実にくっきりとした目覚めの朝だった。

ベッドの上で横臥《おうが》の姿勢から慎重に仰向けになる。

腰部の感触を探ってみるが、痛みはおろか日常的な違和感すら感じないのだった。

仰向けのまま天井を見る。南窓のカーテン越しに明るい朝の光が射し込んでいた。白い天井がクリーム色に薄く染まっている。ゆっくりと右腕を羽毛布団から出した。上はTシャツ一枚だから、裸の腕に朝の冷気が当たる。それが心地良かった。

すでに冬が始まっているのだ、と思う。

出した右腕を、これも慎重に枕元の方へと伸ばしていく。ちょうど背泳でプールの壁にタッチをするようにしてベッドのキャビネットに置いてある目覚まし時計を逆手で摑《つか》み取る。

そんな無理な姿勢を作っても腰に痛みは走らなかった。

五日前から始めたダイエットの効果がようやく現れてきたようだ。

時計の針は七時五分前を指していた。七時ジャストにセットしたアラームを解除して、時計を両手で腹のあたりに持ち、腹筋の要領で静かに上体を起こした。

やはり痛みはなかった。

ベッドから降りてカーテンを引いた。そういう簡単な動作でも昨日まではわずかな鈍痛を覚えていたのだが、いまはまるで嘘のように何でもなかった。寝室の壁にかかったカレンダーを眺める。腰痛の発作が始まったのが先週の十七日月曜日だったから、きっちり一週間で一応の終熄《しゅうそく》を見たことになる。

今日は店を開ける前に松崎先生の診療所に行くことになっている。先週の水曜日、二回目の施療を受けたとき、先生は、

「早くても前回同様、一ヵ月はかかりますよ。まあ、あれから二年経っているからもう少しかかると覚悟しておいた方が無難でしょうね。藤川さん、お互い寄る年波には勝てないってことですよ」

と笑っていた。

もともと啓吾が腰痛を発症したのは、会社を辞めてこの博多に戻って来た九九年、四十三歳のときのことだ。以来、一年半か二年置きに何かの拍子に腰の痛みが始まる。初発から数えると今回で五度目だが、たしかに松崎先生が言う通り、発作のたびに痛みの続く期間が長くなっているのは事実だった。一昨年の同じ十月に起きた腰痛はことにひどく、先生のカイロ治療に毎日通って、それでも痛みがおさまるのに一ヵ月近くを要した。

あの経験にこりごりして、この二年間は重々用心をしてきたつもりだったが、それでも一週間前、空瓶の入ったビールケースを何気なしに持ち上げた瞬間、腰椎《ようつい》のあたりに痺《しび》れるような不快な痛みが走り、案の定、翌日からしつこい腰痛に悩まされ始めたのだ。

前回もむろん松崎先生の優れた手技が功を奏したわけだが、それと併せて体重を一気に落とし、腰にかかる負担を軽減したのが良かったのだ、と啓吾は思っている。先生によれば「藤川さんは別に肥満体型でもないし、減量はあんまり関係ないと思いますよ」とのことだったが、ダイエットの効果は確かにあったと啓吾は体感的に信じていた。

だから今回も、徹底した食事制限を開始してみたのだ。

結果、こうして痛みが消えてしまったことを見れば、自分の勘は正しかったというべきか。もしこのまま午後まで痛みが戻ってこなければ、先生の鼻を明かしてやることができるというものだ。

この八月に啓吾は四十九歳になった。

先生の言葉通り「寄る年波には勝てない」年回りに違いないが、それでも同年輩の人にまるで当然の同意を求められでもするようにそう言われると、持ち前の負けん気が胸に湧いてくる。

啓吾は一日一キロを目標に、五日間で四キロの減量を果たした。ろくすっぽ物を食べないだけでなく水分摂取も極力控えてきたから、常識的には無茶なダイエットに他ならないが、まだまだ自分にはその程度のセルフコントロールの意志と体力が残っていることを証明してみたかったのだ。そうやって松崎先生の他愛ない一言に自分なりの抵抗を試みる魂胆もあった。

一ヵ月は続くはずの症状が一週間で消えたとなれば、この肉体の回復力もまんざら捨てたものではないということか。

そう思うと、もうしばらくは今のペースで減量に勤《いそ》しもうという気にもなってくる。

啓吾は身長百七十六センチ、目下の体重は四キロ減って七十キロちょうどだった。近年流行りのＢＭＩ指数に年齢や職種などを加味して勘定すれば、理想的な体重は六十七キロと出る。あと三キロばかり減らせれば、とりあえずは恰好がつくはずだ。だぶついた腹回りの肉もさらに落ちてくれることだろう。

りんご半個と紅茶だけの朝食を済ませると、啓吾は階下の店に降りた。今日は午前中いっぱいかけて店内の大掃除をし、棚のボトルやグラスを磨く予定だ。毎週月曜日は掃除の日と啓吾は決めていた。五年前、二〇〇〇年の四月にこの「ブランケット」をオープンして以来、それが変わらぬ習慣になっている。

先週、掃除の最中にビールケースを外に出そうとして腰を痛めてしまったので、さすがにまだ重い物を持ち上げる気にはならなかった。カウンターの前のスツールや狭いフロアに並べたテーブルと椅子などは動かさず、隙間にホウキを入れて埃《ほこり》を掃き出した。とはいえ中腰になったり屈《かが》んだりと存分に腰を使ったが異状はない。カウンター内のミニキッチンも念入りに磨き、ドアと窓を開けて店内に風を通し、ひととおり掃除をすませたのは九時過ぎだった。

そのあとは、棚のキープボトルやグラスキャビネットに収納してあるビアグラス、ウィスキータンブラーなどを一つ一つ丁寧に磨いていく。

啓吾にとっては一週間のうちで最も寛げる時間だった。

グラスの曇りを拭《ふ》き取り、ぴかぴかに磨き上げる。作業に熱中していると何一つ物思う必要がない。日々の孤独も生活の苦労も、そして将来への鬱勃《うつぼつ》たる不安もこのときばかりは全部忘れ去って、磨けば磨くほどに光沢を増してくる手の中のグラスに心を集中することができるのだ。それがいまの啓吾には何よりもありがたいことだった。

今年三月二十日の福岡西方沖地震で、この大名《だいみよう》界隈は震度6弱の激しい揺れに見舞われた。

「ブランケット」もむろん店内のボトルやグラスのほとんどが床に落ちて割れてしまったし、二階の啓吾の住居も本棚の本や壁に掛けていた絵、サイドボードの上の置物類などが散乱して足の踏み場もないほどだった。

その日は、春の彼岸とあって啓吾は甘木にある両親の菩提寺に墓参に出かけていて事なきを得たが、もしも在宅していれば怪我の一つも免れなかっただろう。実際、すぐ隣の大名一丁目では老舗の醤油醸造所の古い大きな煙突が倒れて道を塞ぎ、その近くの四階建ての雑居ビルはコンクリートの柱が崩れて住民やテナントは即刻退去の憂き目にあったのだった。啓吾の店がある大名二丁目でも古い家屋やビルは基礎が傾いたり、壁がはがれたり、窓ガラスが割れたりと相当の損害を被《こうむ》っている。

地震発生後に全国に報道されたニュース映像でも、もっぱら紹介されたのは全島避難の止《や》むなきに至った玄界島とこの大名地区の惨状であった。

大名はかつては民家が密集する住宅地だったが、九州最大の繁華街である天神のすぐ裏手に位置していたため、この十数年で、ブティックや飲食店、各ブランドのアンテナショップが犇《ひし》めく一大商業地域に一変してしまった。いまや大名と言えば「若者の街」として福岡の若いサラリーマンやＯＬ、学生たちに最も人気のあるスポットになっているのだ。

啓吾はこの大名で生まれ育った。

子供時代の昭和四十年代は周辺にはまだまだ小さな家々が建ち並び、彼が東京の大学に進学した昭和五十年頃も、今日のような洒落た雰囲気の街ではなかったが、バブル期以降、たまに帰省するたびにその風景は大きく様変わりしていったのだった。

それでも啓吾の実家は八年前に父の伸吾《しんご》が亡くなるまでは、細々と家業の米穀店を続けていた。とはいえ啓吾が戻って来た六年前には、従姉妹《いとこ》の松本慶子《まつもとけいこ》に預かって貰っていた店は開店休業の状態で、そこで啓吾は思い切って米屋を廃業し、店内改装を施した上で翌二〇〇〇年春に「ブランケット」をオープンさせたのだった。

しかし、進学と同時に故郷を離れ、以降四半世紀の長きにわたって東京でサラリーマン暮らしをしていた男が不意に地元に戻って、にわか仕込みのスコッチ・バーなど開いても客が集まるはずもなかった。

すでに経営が傾き始めていた明治化成から受け取ったわずかな退職金と父から受け継いだ近所の駐車場の売却代金の一部で改装費用と当座の仕入れ代を賄《まかな》い、以後も残った金を食い潰しながらこの五年どうにか店を続けてはきたが、正直なところ先の見通しはまるで立っていない。

明治化成を退職したのを機に離婚し、幸か不幸か別れた妻とのあいだには子供もいなかったので、いまや一人口を養うだけの気儘《きまま》暮らしではあるが、それでも五十路を目前に控え、さすがに老い先のことなど考えると、このまま一向に流行らぬバーのオヤジとして無為に日々を送っていいはずがないとは啓吾にも充分に分かっていた。

だが一方では、三月二十日の地震の日、慌てて甘木から戻り、それまで大事にしてきたバカラやロブマイヤーのタンブラーが床に砕け散ってガラス片と化しているのを一目見た瞬間に、いままでかろうじて持ちこたえてきた心の芯棒がとうとう折れてしまったような何か言い知れぬ虚脱感に襲われたのも事実だった。

もう、どうでもいい——心の奥底から聴こえてくる声を啓吾ははっきりと耳にしたのだ。

現実には一週間閉めただけで店の営業を再開した。グラスも酒も取り急ぎで揃えたもので、いずれはいいものに買い換えていきたいのだが、とてもそんな余裕は持てそうになかった。地震以降、客足はますます遠のいてしまったのだ。

啓吾の店は、大名小学校の正門の真向かいにある。右の斜向《はすむ》かいは西鉄グランドホテル。ホテルから二、三分歩けば岩田屋デパートだ。店から左方向に進めば五分もかからずに中央区役所にたどり着く。地の利だけでいえばまさに福岡の一等地なのだが、客商売というのは当初想像していた以上に甘くなかった。

明治化成時代は凄腕の営業マンとして社内では一目も二目も置かれていたのだから、大企業のサラリーマンというのが世間の風のほんとうの冷たさにいかに疎いものか、啓吾自身、「ブランケット」を始めてみてようやく思い知ったのだった。


十一時になって従姉妹の慶子がやって来た。

彼女はカウンターの中に入ると、グラスを磨いている啓吾の後ろを通って、持参した密閉容器二個をミニキッチンの隣の冷蔵庫にしまう。

「今日は酢モツと蓮根のきんぴら。また少し量を減らしておいたから」

「ありがとう」

啓吾は椅子に座ったまま見返して礼を言う。

「啓ちゃん、腰はどう？」

慶子が言った。

「それが、今朝起きたときから嘘みたいに痛くないんだ。この分ならこれで治ってしまうんじゃないかな」

「よかったねー」

慶子が顔をほころばせる。

「だったらお祝いにお昼一緒に食べようか。私、おごってあげるよ」

啓吾は腰のあたりを右手で叩きながら首を振った。

「俺、いまダイエット中なんだ。悪いけど遠慮しとくよ」

「そっか。分かった。じゃあ、今週末はうちにご飯食べにおいでよ。美樹《みき》も啓ちゃんが来るの楽しみにしてるから」

今度は頷くと、「じゃあね」と手を振って慶子はさっさと店を出ていった。

松本慶子は父の妹の娘だ。年齢は啓吾より三つ下の四十六歳。啓吾の別れた妻、塔子《とうこ》と同じ生年だった。

慶子は啓吾の母が十二年前に亡くなると、独り暮らしになった父を手伝って店を切り盛りしてくれるようになった。そして父が亡くなってからは、とりあえず彼女が店を預かってくれていたのだ。だが、その慶子も七年前に離婚し、啓吾が博多に戻った六年前の時点では、中学生だった一人娘の美樹を抱えてもっと実入りのいい仕事口を探さざるを得なくなっていた。そうした慶子の事情も勘案して、啓吾は帰郷後ほとんど間を置かずに廃業を決断したのだった。

現在、慶子は中学時代の同級生が経営するディスカウントシューズのチェーン店の一つで店長をしている。その店が長浜にあって「ブランケット」とは近いこともあり、毎週月水金の三日、彼女はこうして手製の突出し《つきだし》を持って午前中の空いた時間に顔を見せてくれるのだった。

父と叔母が仲の良い兄妹だったこともあり、慶子とは子供の頃から家族同然で育った。彼女の方は兄二人、妹一人の大家族だったが、啓吾の家は彼と両親三人きりの暮らしだったから、ことに啓吾の母が慶子のことを小さい頃から娘同様に可愛がっていた。そうした母の愛情に報いたくて、慶子は父が一人残されたあと、店を懸命に手伝ってくれたのだと思う。

啓吾にしても四人の従兄妹《いとこ》たちの中で、慶子とは一番の仲良しだった。慶子は明るくて心根のやさしい子だったし、ハンサムだった叔父の血を一番色濃く受け継いだのか、幼い時分からとりわけ可愛い顔立ちをしていた。学生時代などは帰省した折、たまに当時高校生だった慶子を連れて街を歩いたり、映画を観に行ったりすると、周囲の視線が自分たちに集まるのが分かって、訳もなくいい気分になったりしたものだ。

「慶子ちゃんがもうちょっと遠い親戚だったら、啓吾のお嫁さんに来てもらえたのにねえ……」

死んだ母はいつもそう口にしていた。

そういえば別れた妻の塔子と母との折り合いは最後まで悪かった。「塔子さんは頭はすごくいいんだけど、慶子ちゃんみたいな可愛げが全然ない」とも母はこぼしていたのだ。

グラスを磨き終えたのは、十一時半過ぎだった。

同じ姿勢で根を詰めて作業していたので、さすがに目、肩、腰に鈍い疲れを感じた。最近は老眼が急速に進み、グラスの曇りをチェックするのに一々老眼鏡をかけるから特に目の疲労が激しい。啓吾は椅子から立ち上がり思い切り伸びをした。依然として腰に違和感はない。冷蔵庫の前まで行って扉を開き、さきほど慶子が置いていった密閉容器を取り出した。二つとも蓋をあけてキッチンの引き出しから取った箸《はし》でそれぞれを摘《つま》んで口に入れる。酢モツも蓮根のきんぴらも両方ともとても美味しかった。朝からりんご半分しか食べていないのでさすがに空腹感が募る。つい箸が進みそうになるが、ぐっと堪《こら》えて容器を冷蔵庫に戻した。

開店以来、こうして突出しは慶子に任せてきた。最初はもっと大きな容器に山盛り作って貰っていたのだが、それがこの五年で、これほどの少量になった。最近の客足では、この量でもきっと残ってしまうだろう。そう思うとやはり情けない。それ以上に情けないのは、ここ一年ほどは、慶子にも材料費程度しか渡せないでいることだった。

啓吾はカウンターを出ると、開けていた窓を締め、入口のドアにも鍵を掛けて、フロアの奥に扉一枚隔てて設けてある階段を使って二階の自室に戻った。店の掃除が済んでしまうとあとは肉や野菜類の買い物と松崎先生の診療所に行くだけで、とりあえず夕方六時の開店時間まで何もすることがなかった。

今日も絶食するつもりだったが、コーヒーと一緒にトースト一枚くらいは腹におさめておこう、と二階に上がるなり啓吾は考えを改めていた。

b

十二時からのＮＨＫニュースが終わってテレビを消した直後、電話のベルが鳴った。

回線を共有しているから、二階の居間の電話と階下の店の電話が同時に鳴り響く。寝ているときなどは、いつもそのけたたましさに飛び起きてしまうほどだ。啓吾は食べかけのトーストを皿に戻して立ち上がると、テレビの隣のサイドボードの上に置いた子機を取り上げた。

「もしもし藤川ですが」

こんな時間帯に店に電話してくる者は滅多にいない。「ブランケット」と名乗るのは午後六時から翌朝二時までの営業時間内だけにしている。

「お久しぶりです」

女性の声だった。

「神代美奈《くましろみな》です」

そこで啓吾も相手も同時に息を詰める。

神代の身に何かがあったのではないか、と啓吾は咄嗟《とっさ》に緊張していた。ただし、さきほどのNHKニュースでは明治化成絡みの件は何も報じられてはいなかったが。

「神代がどうかしたんですか？」

六年ぶりの挨拶などすっ飛ばしてそう訊いていた。

「いえ、そのことじゃないんです」

目下、産業再生機構の支援で経営再建中の明治化成は、この七月に長年にわたる粉飾決算の事実を公表し、旧経営陣に対して刑事告発と民事上の損害賠償請求を行なう旨を明らかにしていた。会社の発表によれば、粉飾期間は九九年から〇三年三月期までの五年に及び、売上高や資産の水増しなどによる粉飾額は総額で実に二千二百五十億円に上るものだった。

この東証一部上場の名門企業の空前の不正経理問題は、むろんメディアで大きく報じられ、つづく内部調査結果の公表や各メディアの取材によって、その巧妙で悪質な組織ぐるみの粉飾の手口が次々に明らかになってくると、旧経営陣の経営責任を糾弾する声が急速に高まっていったのだった。こうした世論の動向を受けて、八月に入ると東京地検特捜部は証券取引法上の「有価証券報告書への虚偽記載容疑」での立件を視野に、当時の経営陣への事情聴取を開始した。

そしてその経営陣の末端に連なり、〇一年までは経理部長として、さらに〇二年からは経理担当の取締役として直接経理操作に加担したとされ、現在、特捜部の厳しい聴取を受けているのが、啓吾の同期であり在社中は唯一無二の親友でもあった神代富士夫《ふじお》なのだった。

各メディアの報道によれば、神代は特捜部が近々で逮捕に踏み切るだろうと目されている三人の旧経営陣のうちの一人だった。彼は当時の社長・川尻隆一《かわじりりゅういち》、メインバンク出身の経理担当副社長だった窪田善幸《くぼたよしゆき》とともにいわば主犯格の立場で、不正な粉飾行為を全社的に指揮命令していたと報じられている。

電話の相手が神代の妻である美奈だと知って、神代の逮捕、さらには過酷な調べに耐えきれず逮捕前に自殺でもしたのではないか、と不吉な想像をしてしまっただけに、別の用件だと聞いて啓吾はとりあえずほっと息をついた。

「神代は元気にしていますか？」

念のためという気持ちも込めて彼は訊ねる。

「ええ。この二ヵ月くらいは私もほとんど会えない状態ですが、たまに掛かってくる電話だと一応元気にしているようです。ただ、おそらく今月中か来月初めには逮捕ということになるだろう、と言っていました」

今月中ならばあと一週間以内のことではないか、と思いながら、

「じゃあ、彼はいまどこにいるんですか」

と訊く。

「さあ……。私にも居場所は教えてくれないんです。多分、都内のホテルに隠れて、マスコミの目を逃れながら弁護士の先生方と今後の対策を練っているんだと思います」

美奈の言葉は曖昧《あいまい》で口調もどこか覚束《おぼつか》ない感じだ。もしかしたら神代に口止めされているのかもしれないが、六年も昔に会社を辞めた自分にいまさら、しかも美奈が何か隠し事をするとも思えなかった。

「しかし、弁護士と善後策を練るといっても、彼は去年の暮れに会社を追われているわけだし、まして明治化成の新しい経営陣と敵対関係にあるとなれば、どこからの援助も期待できないんじゃないですか」

現役幹部の場合は、こうしたケースでは会社が内々で支援をするのは当然だが、昨年、すでに経営責任を取って退陣した神代が、二ヵ月も都内のホテルを転々としながら弁護士と捜査への対策を練るなどおよそ不可能なことのように啓吾には思える。

「さあ、私にはそのへんはよく分からないんです。たぶん川尻さんや窪田さんと一緒にいろいろと相談してるんだろうとは思いますが」

ますます美奈の説明ははっきりしないものになった。

啓吾は怪訝《けげん》な気分のまま、現在の神代の身の上にしばし思いをめぐらせた。

「あの、私、いま空港から掛けているんです」

黙り込んだ啓吾に痺れを切らしたように美奈が言う。

「空港?」

不意に現実に引き戻された心地で聞き返した。

「はい。十五分ほど前の到着便で福岡空港に着いたんです」

「えっ、いま福岡なんですか」

「はい」

空港と聞いて羽田とばかり思い込んでいたので啓吾は驚いてしまった。

「何か、こちらに用事でもあるんですか」

そういうわけでもないだろう、と分かっていながら口にしていた。

「ええ、藤川さんに折入って相談させていただきたいことがあって。こんなに突然だと不躾《ぶしつけ》とは思ったんですが来てしまいました」

向こうも素知らぬ体《てい》で言う。美奈とは六年前に空港で見送りを受けて以来、声すら一度も聞いていなかったが、見かけや普段の物腰に似合わず大胆な行動に出る性格は相変わらずのようだ、と啓吾は思った。

「そうですか……」

呟きながら啓吾は壁の掛け時計を見た。もうすぐ十二時半だった。松崎治療院の予約が一時に入っていたが、まあこの分なら今日はキャンセルしても構わないだろう。わざわざ東京から訪ねて来た人と会わないわけにもいくまい。

しかし、美奈の「折入って相談させていただきたいこと」とは一体何なのか。それが気になる。

「今夜の宿は決めてきたのですか」

「一応、グランドハイアットに予約だけ入れてきました」

ハイアットは中洲一丁目のキャナルシティに附設されたホテルだ。

「じゃあ一時間後の一時半にハイアットのロビーで待ち合わせしましょう」

福岡空港からキャナルまでは地下鉄とバスを使って二十分程度の距離だ。啓吾の方はタクシーに乗れば十分ちょっとで行くことができる。いまからシャワーを浴びて身支度を整えても、一時間あれば余裕だった。

「分かりました。お忙しいところほんとうにすみません。よろしくお願いします」

その返事を聞いて、啓吾は自分から電話を切った。


一時半ちょうどにホテルのロビーに着くと、フロントデスクの前で神代美奈がフロント係となにやら話をしているのが見えた。啓吾はどうしようかと少し迷ったが、後ろ姿の彼女の方へと近づいていった。

最後に彼女と会ったのは六年前、九九年の六月だった。もうあれから六年と四ヵ月の月日が流れた。神代や啓吾より六歳下の美奈も今年で四十三歳になるはずだ。だが、その身体つきや長い髪の陰からのぞく細い横顔は、六年前とさほど変わっていないような気がした。

「美奈さん」

声を掛けると、彼女は振り返り、ぱっと鮮やかな笑顔になった。

「ごめんなさい。空港でお昼食べたものだから、私、いま着いたばかりで。こちらの方に聞いたらもうお部屋に案内していただけるっていうんで、チェックインの手続きをしてたんです。藤川さん、いつからいらっしゃってたんですか」

「いや、僕もいま来たところです」

「そうですか。よかった」

まるで六年の歳月などなかったかのように、美奈は昔同様のごく当たり前の顔と口調で語りかけてくる。彼女の足元を見ると、かなり大きめのキャスター付きのスーツケースが置かれていた。これから海外にでも出かけるような荷物だ。

チェックインがすむと、フロント係から鍵を受け取ったベルガールが台車を押して近寄って来る。

「じゃあ、僕はそこのティーラウンジで待っています」

啓吾が言うと、

「それより、このまま私の部屋にいらっしゃいませんか。ツインのお部屋だから話もできると思うし、それにちょっと内密のご相談なので、よければ個室の方がありがたいんです」

美奈は小声になって言う。そして彼の耳元に部屋番号を囁《ささや》くと、踵《きびす》を返して大きなスーツケースをベルガールの方へと差し向けた。

「それじゃあ、また」

彼女は横目にあっさり手を振って、ベルガールと一緒に啓吾のそばを離れていってしまった。

啓吾はちょっと唖然《あぜん》とした面持ちでその背中を見送る。

五分ほど間を置いて、彼は美奈の待つ部屋に向かった。よほど電話でもう一度ロビーに呼び出そうかとも思ったが、「内密のご相談」という彼女の言葉がひっかかった。さきほどの電話では神代絡みのことではなさそうな気配だったが、直接的にはそうでなくてもやはり彼の事件に関わる内容なのかもしれない。だとすれば、ここのティーラウンジで衆人環視の中、話を聞くわけにもいかないだろう。

七階まで上がって、教えられた番号の部屋の前まで来ると、脇の壁のチャイムを押した。

「はーい」

やけに明るい声がして、すぐにドアが開く。

フロントで会ったときは、たしかブラウンのツイードのスカートに同じブラウン系のスエードのジップアップジャケットを羽織り、中はアイボリーのプルオーバーだったはずだが、出てきた美奈はデニムのパンツにボーダー柄のオフホワイトのラムウールニットというラフなスタイルに変わっていた。足元もロングブーツから白のスニーカーに履き替えている。

出会った女性の着こなしにどうしても目が留《と》まってしまうのは、繊維業界で二十年の月日を送った人間の抜きがたい習性というべきものだろう。

「どうぞ入ってください。ルームサービスでコーヒー注文しておきましたから」

笑顔の彼女に促されて部屋の中に入る。

ちょっと広めのツインルームだった。白いカバーの掛かったキングサイズのベッドが二つ並び、その前に一人掛けのソファ二脚と小さなテーブルが配置してある。

こんなホテルの部屋に入るなんて一体何年ぶりだろうか、と啓吾はふと思っていた。

「ブランケット」を始めてからは、定休日の日曜以外は無休で店に立ってきた。正月三が日のほかは祝日も営業したから、旅行に出られるほどのまとまった休みはなかった。そういえば、泊まりがけで出かけたことなどこの六年間一度もなかったな、と啓吾はいま初めてのように気づいたのだった。

啓吾はソファの前で立ったまま部屋の中を見回し、不思議な懐かしさを覚えている。

明治化成に勤務していた頃は、一年の三分の一は出張に出ていた。国内の営業拠点を回ることもあったし、業務推進室に移ってからの数年は、海外の工場や子会社への視察・調査も頻繁だった。傾き始めた会社を再建するための苦肉の策として、社のホームプロダクツ部門の売却を決めたときは、啓吾が直接担当者となって売却先の米企業との売買交渉を取り仕切った。当時は半年近く、相手企業の本社があるロサンゼルスのホテルに滞在して厳しい交渉に明け暮れたものだ。結局、あの売却交渉が頓挫《とんざ》したことが、いまにして思えば明治化成という企業の死命を決したのだ。突然の交渉中止命令に愕然《がくぜん》としながら帰国したのが九八年の二月で、直後、啓吾は明邦毛織に出向させられた。そして、翌九九年、その明邦毛織の再建問題で本社と対立して退社を余儀なくされたのだった。だが、これもいまにして思えば、本社はもうあの時点では財務上、自力回復不能な債務超過に陥り、粉飾決算という決して越えてはならぬ一線をすでに踏み越えてしまっていたのだ。

テーブルを挟んだ向かいのソファに美奈が腰を下ろしたのに気づき、啓吾も慌てたようにソファに座った。

「どうしたんですか。何だかぼうっとしちゃって」

美奈が可笑《おか》しそうな顔つきで訊いてくる。

「いや、別に」

と啓吾は言葉を濁す。

こうして二人きりの部屋で面と向かってみると、久々に再会した神代美奈の幾分の変化がようやく看取される。元になる記憶自体がすでに曖昧なのだから、細部のあれこれを比較はできないが、やはり全体の印象が以前と違っていた。六年前、三十七歳だった頃の彼女には、まだ特有のあどけなさがあった。二十四歳で神代と結婚した美奈は、当時ですでに結婚十三年目を迎えていたが、子供がいなかったこともあって、とてもそんなキャリア充分の人妻には見えなかった。どこか世間知らずな幼さの残る雰囲気を彼女は漂わせていたものだ。

しかし、目の前の美奈からは、そういったひ弱な影はあまり感じ取れなかった。むしろ目の光は強さを増し、表情や身のこなしにもどこかしら自信のようなものが垣間見られる。

「ところで、折入っての相談というのは何ですか」

その強い光を宿した瞳でじっと見つめられている気がして、啓吾はさっそく本題に入った。かつて自分に好意を寄せてくれた女性とこうしてホテルの一室に閉じ籠もるのはどうにも気詰まりだった。

「突然こんなふうに押しかけて来て、ほんとにごめんなさい。でも、藤川さん、全然変わってないから少しほっとしました」

美奈は笑みを浮かべ、落ち着いた口調で言う。

「いや、僕はずいぶん変わりました。いまではすっかり世捨て人ですから」

「でも、お店はまだ続けていらっしゃるんでしょう」

「一応は」

「藤川さんらしい趣味の、すごくいいお店だって神代がよく言ってました」

「そうですか……」

だが、神代が「ブランケット」を訪ねて来たのはわずか二度に過ぎない。開店した年の秋と、もう一度は彼が取締役に就任した二〇〇二年の夏、それだけだった。

「ほんとにこの二ヵ月、神代とは全然会っていないんですか？」

自分のことを話すのが億劫《おっくう》で、すぐに相手のことに話題を移す。

「ええ。八月のお盆明けに東京地検から最初の呼び出しがあって、その日は一度家に戻ってきたんですが、荷物をボストンバッグに詰めて、翌朝早くには出て行きました。それ以降はずっと電話で話してるだけです」

「さっきの電話では、ホテルに身を隠してると言っていましたね」

美奈は頷く。が、どこかその様子がぎこちなかった。

「だけど、その滞在費にしても、弁護士費用にしても馬鹿にならない金額でしょう。そういう出費はどう賄っているんですか。神代はもう明治化成の人間ではないし、新しい仕事を始めたという連絡も僕はまだ貰っていませんが……」

美奈は、神代が前社長の川尻や前副社長の窪田らと共に善後策を練っているとも言っていたが、川尻たちにしても事情は神代と変わらないはずだ。一度組織を追われた者は、言ってみればドブに落ちた犬も同然で、世間や司直の側からすれば打ちのめすための恰好の材料でしかあるまい。そんな彼らに、今後の裁判闘争を睨んで有効な手立てを講ずるだけの余力があるとはおよそ啓吾には思えなかった。

「私はお金のことで藤川さんに相談に来たわけじゃありません」

だが、啓吾の質問の真意からは大きく逸《そ》れて、美奈は思いもかけない言葉を口にした。その黒目がちの瞳にはいかにも心外そうな色が浮かんでいる。

「僕は別にそういう意味で訊ねたわけじゃないんです。ただ、いまの神代に長期間ホテルに身を隠したり、弁護士と地検対策を相談したりする余裕があるんだろうか、と少し心配になっただけです」

啓吾は慌てて彼女の誤解を打ち消そうとする。それでも美奈は遺憾な面持ちを崩さなかった。

そのときちょうどドアの方でチャイムが鳴った。

美奈が急いで立ち上がる。ルームサービスのコーヒーが届いたのだろう。入口でボーイをかえして、美奈がポットとカップの載ったワゴンを押してきた。コーヒーを注いだカップとソーサーを黙って啓吾の前のテーブルの上に置くと、自分はカップだけ手にして向かいのソファに座り直した。コーヒーを一口すすってから、

「ごめんなさい。さっきは失礼な言い方をしてしまって」

美奈は謝ると、口許にわずかな笑みを浮かべ、

「藤川さんに痛いところを衝《つ》かれて、ちょっと動揺したんです」

と付け加える。

啓吾にはその言葉の意味がよく分からなかった。

「神代はホテルになんていないんです。本人は連絡をくれるたびに私にそう言いつづけていますけど、でもほんとうは違うんです。彼にはずっと前から別に好きな人がいるんです。いまはその人の家に泊まっているんだろうと思います」

淡々とした口ぶりで美奈は言った。

「そうなんですか」

啓吾は何と言っていいか分からず、ただ頷いてみせるしかない。しかし、これで彼女の〈内密のご相談〉が神代に絡む話でないのははっきりしたと思った。

「藤川さんは前からご存じだったんでしょう」

探るような視線になって美奈は言う。

「何をですか」

啓吾はすこし身構えた。美奈と結婚したあとも神代が頻繁に浮気をしていたのは啓吾も知っていた。それもあって啓吾は神代の家庭にはあまり出入りをしなかったのだ。美奈のことも、親しく顔を合わせるようになったのは彼が会社を辞める二、三年前からに過ぎなかった。だが、あらためて思い返してみても、啓吾が知っている女性の中で、いまだに神代と続いていそうな人物の心当たりはなかった。

「富永《とみなが》さんのことです」

美奈に名前を出されても思い当たらない。「富永」？　神代の付き合っていた相手の中にそんな名前の女性がいただろうか。「ずっと前から」とはいえ、きっと自分が社を離れたあとでのことなのだろう、と考える。

啓吾の怪訝な様子に美奈はやや意外そうな表情になった。

「藤川さん、ご存じじゃなかったんですか。明治化成の秘書課にいた富永優花《ゆうか》さんのことですけど」

「えっ」

啓吾の口から思わず大きな声が出た。

富永優花ならばよく知っていた。啓吾がかつて所属していた業務推進室は社長の直属部隊だったため、オフィスは本社二十四階の役員専用フロアに設置されていた。社長や他の幹部たちの部屋への出入りも度々だったから、当然秘書課の人間たちとは親しい関係になった。富永優花は、啓吾が在社当時は大勢の秘書の中でも若手の一人で、年齢はまだ二十三、四だったと思う。ということは六年後の現在でも三十そこそこ。神代や自分より二十歳近くも年下だろう。

そんな若い女性と神代はどうやって付き合うようになったのか。

しかも、富永優花は啓吾のいた時分は、明治化成の女子社員の中で一番の美貌だと評判の女性だったのだ。

啓吾は脳裡《のうり》に浮かんだ富永優花の顔と目の前の美奈の顔をだぶらせていた。そういえば、優花とこの美奈とはどことなく似ていなくもない、と思う。

「秘書課の富永優花のことはむろん覚えているけど、神代と彼女が付き合っていたなんて初めて聞きました。そもそもそれは本当のことなんですか」

にわかには信じがたい気分で啓吾は言う。あの慎重細心な神代が会社の女性に手を出すというのも不可解だ。

だが、美奈はしっかりと首を縦に振った。

「去年、産業再生機構への支援要請を行なうかどうかで社内がゴタゴタしたときに私の家にも沢山の怪文書が送りつけられてきたんです。その中の幾つかに神代と富永さんとのことが詳しく書かれていました」

「だけど、怪文書はあくまで怪文書だから。神代本人は何と言ってたんですか」

「神代には訊いていません。どうせ本当のことを話してくれるはずもないですから。でも、神代と富永さんが付き合っているのは間違いないし、いま彼が富永さんの家にいるのも確かだと思います」

恐らく事実は美奈の推測の通りだろう、と啓吾も思っていた。怪文書の類であっても役員の女性関係などの情報は案外正確なものだ。まして複数の文書に詳しく記されていたとなれば、神代と富永優花が関係を持っていたのはほぼ間違いあるまい。

「なのに美奈さんは、それを放っているわけですか」

「はい」

神代に対して同じ男として一抹の羨望を覚えながら、啓吾はそう口にしていた。

美奈は素直に認める。

「どうしてですか」

自分でも余計なことを訊いているのは分かっていた。

「そんなことは藤川さんが一番ご存じのはずです。私の気持ちは六年前のあの時と何も変わっていないんですから」

美奈にきっぱり言い切られて、啓吾は黙ってしまった。すると彼女はソファから身を乗り出すようにして、啓吾の方へと顔を寄せてくる。

「実は、私、藤川さんにどうしてもお願いしたいことがあって来たんです」

啓吾は口を噤《つぐ》んだまま目で先を促した。

「しばらくのあいだおそばに置かせてもらえませんか?」

その言葉の意味するところが、いまひとつ理解できない。

「ほんの一ヵ月でいいんです。一緒に暮らさせてもらえないでしょうか」

美奈の瞳は真剣そのものだった。

「一体どういうことですか。美奈さんが身を隠さないといけない何か特別な事情でもあるんですか」

啓吾がとりあえず訊ねると、美奈はしばしもの思う顔つきになる。そして、一語一語刻みつけるようにこう言ったのだった。

「神代からもしばらく東京を離れて欲しいとずっと頼まれていたんです。いよいよ逮捕となればマスコミの取材攻勢もますます激しくなるからって。富山にある私の母方の実家か私の妹が住んでいるボストンにでも行っててくれないかって。それで、私、一昨日彼から久しぶりに連絡が入ったときに、そうすることに決めたって伝えたんです。ひと月くらいアメリカに行ってくるって。だから、私がいなくなっても神代はちっとも怪しまないし、もともと、もうあの人は私になんて全然興味がないんです。きっと逮捕後に拘置所に収監されたとき、私と富永さんが面会などで鉢合わせしたりするのが嫌なんだと思います。私が東京にいたら、どうしても私の方がそういうときは優先されてしまうはずだから。どのみち逮捕されれば神代は最低三週間は外に出てくることができないし、藤川さんが疑われたり、藤川さんに迷惑がかかるようなことは金輪際ありません。ですから、一ヵ月で構いません、どうか私をおそばに置いてください。お願いします」

目の前で深々と頭を下げている美奈の姿に啓吾は呆気《あっけ》に取られてしまった。

「美奈さん、ちょっと待ってください。僕にはあなたの言っていることがよく理解できない。あなたはどうして一ヵ月のあいだ僕のそばにいないといけないんですか。その理由は何なんですか」

内容の是非はともかくも、こんな突飛な依頼を持ち出してきた彼女の真意が皆目摑めない。口には出せない何かやむにやまれぬ事情があるのかもしれない、と啓吾はつとめて冷静に受け止めようとした。

彼の言葉にようやく顔を上げた美奈は、相変わらず真剣な眼差しのままだ。しばしその目で啓吾の顔を見据え、意を決したように口を開いた。

「正直に言います。実は、私、子供が産みたいのです。でも神代には子種がありません。もうずいぶん昔、二人で病院に行って調べて貰いました。だから、私、藤川さんの子供を産みたいんです。あのときもほんとうはそういう気持ちでした。だけど当時の藤川さんにはそんなこととても言えなかった。でも、私ももうこんな歳になって、子供が産めるかどうかも分からない年齢です。これが最後の機会だと思う。とにかく試してみたいんです。もちろん奥さんにしてくれなんて言いません。子供を認知してくれとも一緒に育ててくれとも言いません。ただ、しばらくおそばに置いていただいて、私が子供を宿すことができるかどうか、その見極めだけでもつけさせていただきたいんです。後生です。恥を忍んでのお願いです。どうか、藤川さん、一生のお願いです。どうか聞き届けてください。お願いします」

話している途中からさすがに美奈の顔面が紅潮してくるのが分かった。瞳もかすかに潤んできている。彼女の言っていることが質《たち》の悪い冗談や何かの妄想の類でないことだけは、啓吾にも充分に理解できたのだった。

c

たまに来てくれるサラリーマン二人組が十時過ぎに出ていくと、客足はぱったり途絶えた。

今夜はその二人組を含めて、客は五人。閉店の午前二時までにあと一組でも来てくれれば御《おん》の字だろう。この半年、平日はいつも大体そんなものだ。週末の金曜日、土曜日でさえ売上が三万円を超えることは滅多にない。自前の土地建物でやっているからどうにかなっているが、これがテナントならばとっくに潰れているに違いない。

今日の午後、六年ぶりに再会した神代美奈に向かって「世捨て人」と自称したが、あれは韜晦《とうかい》でも何でもない。人も雇わずに一人きりで五年半の月日をこの狭いカウンターの内側に立って過ごしてきて、要するに自分がなりおおせたのはその程度のものだった。

故郷に帰り、生き方も生活もすべてを一新してみれば、何かこれまで見えなかったもの、見ようとしてこなかったもの、見落としていたものに気づくのではないか、と多少は期待を込めて始めた店だったが、結局のところ何も見えてはこなかったし、これといって悟るところもなかった。むしろ、子供が面白半分に岸壁に係留されていたボートに飛び乗って遊んでいたら、いつの間にか艫綱《ともづな》がほどけてどんどん沖合に流されてしまったような、そんな途方に暮れる思いばかりが胸中に堆積しただけだ。

いまの自分は、したいこともすべきことも持たない、ただの自堕落で無気力な初老の男に過ぎない、と啓吾は骨身にしみて痛感している。

美奈は今頃どうしているだろうか。

取り合うこともせず、啓吾は彼女の埒外《らちがい》な申し出を一蹴した。もちろんその判断が誤っているはずはないが、しかし、言下に撥《は》ねつけたときの美奈の反応は予想外のものだった。彼女は落胆した素振りも見せず、幽《かす》かな笑みを口許に浮かべて、

「そうですか。藤川さんはきっと断るだろうなって思っていました。でも、あなたが私を拒絶するのはこれで二度目です」

と淡々とした口調で言ったのだ。

これで二度目です——という最後の一句に啓吾は胸の奥を錐《きり》の先で突かれたような痛みを覚えた。

「藤川さんが駄目なら、別の方法にします」

いかにもさばさばした表情で美奈は言葉をつなぐ。

「別の方法って？」

啓吾はつい訊いてしまう。すると美奈が声を立てて笑った。

「藤川さん、私にだって他にも心当たりの相手くらい何人かいますよ」

「………」

啓吾にはそれ以上何かを言う資格はなかった。

そのあと冷めたコーヒーを飲み干して、彼はホテルの部屋を出たのだった。立ち去り際に、「今夜はどうするんですか」と訊ねると、「もうこの街に用はありませんから、たぶんこのまま東京に戻ると思います」と美奈はきっぱりと答えた。

東京時代、美奈とは二度、二人きりで食事をしたことがある。

一九八〇年に同期入社した啓吾と神代は、ずっと明治化成の中枢部署を渡り歩いた。その中でも啓吾は繊維事業本部暮らしが長く、神代は財務管理本部勤務が比較的長かった。まず二十代終わりの時期に経営企画部で二人は一緒になり、当時化粧品部門の伸長で業績を回復させていた会社が二年ごとに策定していた経営計画作りに没頭した。それまでも本社勤務を続けていた彼らは、月に一度は情報交換も兼ねて酒を酌み交わす間柄だったが、殊に親交が深まったのはこの経営企画部時代のことだ。そして、三十代終わりになると再び業務推進室で顔を揃えた。その頃には二人とも同期の中でトップを走る人材と見なされるようになっていたのだった。

美奈とは神代と結婚した最初から面識だけはあったが、たまに顔を合わせるようになったのは、業務推進室で神代と席を並べはじめてからだった。当時は毎晩深夜まで仕事をして、そのあと赤坂や銀座に繰り出しては社の将来を憂えながら酒を飲んだ。そういう折に、神代はときどき美奈を行きつけの店に呼び出したりした。むろん、その種の行為には日頃の浮気をカモフラージュする目的も少なからずあるが、そうやって楽しそうに飲んでいる二人の姿を見るたびに、啓吾は塔子との冷えきった関係と引き較べてひどく羨ましい気持ちにさせられたものだ。

ある晩、銀座のタクシー乗り場で、したたかに酔った神代を美奈と二人で車の後部座席に押し込んだ直後、夫の隣席に座った彼女に啓吾はそっと紙片を手渡された。

あれは啓吾が失意のうちにロスから帰国した九八年の二月、神代夫妻がわざわざ彼のために慰労会を開いてくれた晩のことだった。

夫妻を乗せたタクシーを見送ったあと、啓吾も車に乗り、車内灯の薄明かりの下で渡された紙片を開いた。便箋の一枚紙で、短い文章が記されていたが、整った文字と丁寧な畳み具合からして、あらかじめ美奈が用意してきたものであると推測された。文面は次のようなものだった。

おかえりなさい。

ずっと藤川さんのお帰りを待ちわびておりました。私は、去年、藤川さんに初めてちゃんとお目にかかったとき、一目で藤川さんのことを好きになりました。それに、私は自分の心の中のことを語り合える人が好きです。

藤川さんがアメリカに行かれてからのこの半年は、私は毎日、藤川さんのことばかり考えて生きていました。

これからは、時々、神代のいないところでお会いするわけにはいかないでしょうか？

私はぜひそうしたいと望んでおります。

最初のデートは美奈の方から誘ってきた。彼女は大胆にも啓吾の職場に電話してきたのだ。すぐ向かいの席には神代が座っていた。

二度目は啓吾が会社を辞める直前で、彼の方から誘った。神代が海外出張に出ている隙を見計らっての行動だった。

そのときは、美奈がホテルに行きたいとせがんだ。彼女は初回の食事のときに、

「もう神代とは夜の生活がなくなって四年になるんです」

と言っていた。

だが、結局、啓吾は美奈を抱くことはなかった。

退職して、博多に引きあげる準備をしている頃、話を聞きつけた美奈が驚いて電話してきた。

そして、啓吾が東京を去る日、彼女は羽田に見送りに来たのだった。

「一緒に連れて行ってください」

と美奈は哀願した。

だが、啓吾は断った。別に神代にあくまで義理立てしたというわけではない。そういう殊勝な気持ちは、社を辞めると決めた途端に不思議なくらい消えてしまっていた。ただ、彼はもう東京でのことは何もかも忘れてしまいたかったのだ。

彼女への後ろめたさは、博多に戻ってから却って強くなった。

美奈は初めて二人きりで会ったときにこう言っていた。

「この一、二年、自分や夫のこと、将来のことを少しでも考えようとすると息ができなくなるの。ほんとうにそうなの。吸った息が吐けなくなったり、吐いたあとに息を吸えなくなったり。喉の奥にまるで真綿の固まりでも詰まったみたいに、ほんとに呼吸ができなくなるの。自分でもどこかおかしいんだと思う。深刻な事態だって感じてる。たぶん身体じゃなくて心の一部が壊れてしまってるんだと思う。だけど、そういうのって誰も治してくれないし、誰にも治せやしないでしょう。だから、私は自分で治したいと思ってるの。自分の力で自分の正常な呼吸を取り戻さないといけない。そうしないといつか窒息して死んでしまうような気がするの。たとえ身体は死ななくても、きっと心が死んでしまうような気がする。私はただ、息をしたいときに自由に息ができるようになりたいだけ。だから、そのために私があなたを好きになったとしても、それがいけないことだなんて誰にも言わせない。だって、そうでしょう。私は、人間として当たり前のことを望んでいるだけなんだから。ねえ、私の言ってることって間違ってる?」

そんな彼女を自分は置き去りにしてきたのだ——そう思うと辛い気持ちになった。実は、啓吾はこの六年間、しばしば神代美奈のことを思い出し、そのたびに彼女を見捨ててしまったことを悔やみつづけてきたのだった。

午後十一時を回った頃、店のドアが開いて、美奈が入ってきた。

入口で立ち止まって少しのあいだ店内を見回すと、何かを納得したように一度頷いて、啓吾の正面のカウンター席に腰を下ろした。

啓吾は小さなため息を一つついてから、

「いらっしゃいませ」

と言った。

「ちょっと地味だけど素敵なお店ですね」

美奈は首に巻いていたモスグリーンのストールをほどきながら言う。あとはホテルの部屋で会ったときと同じ身なりだった。

「でも、たしかにあんまり流行ってないみたい」

啓吾が黙っていると、彼女は笑みを浮かべて付け足した。

「何にしますか」

と訊く。

「ちょっとむしゃくしゃしてるから、ウィスキーをショットで。銘柄はマスターにお任せします」

「かしこまりました」

そう言うと啓吾は美奈の前を一旦離れた。

自分の足取りが心なし軽くなっているのが分かる。

啓吾は棚の奥から一本のボトルを取り出した。「フィンドレーター21年」。フィンドレーターはスコッチの中で彼が一番気に入っている銘柄だ。特に「21年」は傑作の一本だった。だが、日本では馴染みの薄いこの酒を注文する客はほとんどいない。

ボトルを開封し、バカラのショットグラスを四十度超の酒で満たすと、氷とたっぷりのミネラルウォーターを注いだタンブラーと一緒に美奈の前に静かに置いた。

「いただきます」

美奈はそう言って、グラスの半分ほどを一気に喉に流し込む。神代と三人で何度か飲んだことがあるので、彼女が酒に強いことはよく知っていた。

「このウィスキー、すごくおいしい」

キッチンで突出しと簡単なつまみを準備していた啓吾に向かって彼女が言う。

蓮根のきんぴらとチーズの盛り合わせをとりあえず出した。

「食事はすませてきたんですか」

美奈は首を振る。

「じゃあ、いままで何をしてたんですか」

「部屋でベッドにもぐり込んで寝てました」

啓吾はまたため息をついて、

「オムレツとか焼きうどんくらいなら作れますよ。それとも特別にラーメンでも出前して貰いましょうか。どうせ今夜は美奈さんで最後だろうから」

と言う。

「藤川さんの作ってくれたものが食べたいです。そしたら、少しは、このむしゃくしゃも晴れるかも」

「じゃあ、オムレツと焼きうどん、どっちにしますか」

「両方食べさせて下さい。私、すごくお腹が空いてるんです」

啓吾が苦笑して、前を離れようとすると、

「ああ、それからお酒をもう一杯。こんどはロックで同じものを」

美奈は残りのウィスキーを一息に飲み干して言った。

黒豚のバラ肉と博多ネギを細かく刻んで混ぜ込んだオムレツも、肉のかわりに牛スジを使って自家製のにんにく醤油で仕上げた鰹節たくさんの焼きうどんも、美奈は「美味しい」を連発しながらみんな平らげたのだった。そのあいだもウィスキーをロックでぐいぐい呷《あお》っていた。

啓吾はその食べっぷり、飲みっぷりに感心しながらずっと美奈の取りとめないお喋りに付き合った。

彼女は、雑多な話の合間に、

「藤川さんはいつも晩御飯は何時頃に食べるんですか？」

などと不意に質問してきた。

「店を開ける一時間前の五時くらいか、それとも閉店後ざっと片づけをすませたあとの午前三時くらいかな」

「ほとんど外食ですか」

「いや、そんな余裕ないからね。大体は自分で作って、この二階の部屋で食べてる。僕は料理は嫌いじゃないし」

「じゃあいつも独りきりで」

「他に誰もいないから仕方ないよ」

啓吾が一問一問律儀に答えると、

「へぇー、すごいですね」

どの答えにも訳もなく驚いてみせるのだった。

そうした彼女の態度の一々が啓吾にはどうにもいじらしく感じられた。

なるほど昼寝をしていたという先程の言は本当らしく、美奈は元気そうだった。酔いが進むほどに快活になっている。

午前一時を過ぎて啓吾は早めに店を閉めた。しきりに美奈に勧められたこともあるが、啓吾自身も久しぶりに一杯やりたくなってしまったのだ。

カウンター越しに向かい合ってウィスキーをすする。こんなふうに飲むのは、かつて神代が訪ねて来てくれたとき以来のような気がした。

小さなつまみを色々出すと、美奈はどんどん口に放り込む。啓吾にも食べるようにせっつくから、ここ一週間の腰痛の話やその治療のために目下ダイエットに励んでいることを酔いにつられて打ち明けると、これまた「それって、すごいですね」と驚かれるのだった。

「だけど、腰痛なのにお酒なんて飲んで大丈夫かしら」

フィンドレーターのボトルがそろそろ空になる頃になって、ふと美奈が言った。

「そういえばそうだね」

啓吾が同意すると、美奈は彼のグラスをさっと取り上げた。

「これでおしまい。残りは私が飲むんだから」

時刻は午前二時をとっくに過ぎている。

「もうさんざん飲んでるんだから、いまさら無駄だよ」

啓吾がグラスを取り返そうと右手を伸ばすと、彼女は後ろ手に隠してしまう。

「駄目よ。私、今夜はここで酔い潰れるつもりで来たんだから。藤川さんの腰痛が悪化したら、潰れたあと私を二階に運べなくなっちゃうでしょ」

さすがに呂律《ろれつ》が多少怪しくなってきていた。

「だけどきみは何で東京に帰らなかった。他にも心当たりくらいあるってさっきは言ってたじゃないか」

啓吾が突き放したように言うと、

「そんなの見栄を張っただけに決まってるじゃない。あんなの真に受けたんなら、あなたって相当の馬鹿ね」

彼女は憤然とした顔で言ったのだった。

美奈が宣言通りに酔い潰れたのは午前三時頃だ。

身体に触れるたびに唸《うな》り声をあげるのに手を焼きながら、啓吾は何とか彼女を抱えて二階に上がった。酒癖が存外悪いのに内心びっくりしてもいた。

上も下も脱がせ、福岡といっても夜は冷え込むのでだぶだぶのパジャマを着せて、自分のベッドに寝かせた。

美奈は完全に眠っているようだったが、時折、苦しそうに眉間に皺を寄せた。その皺の深さに六年という歳月の重さを感じる。だが、パジャマに着替えさせるときに見た身体は、肌の張りもまだ充分で、とても四十三歳とは思えぬ若々しさだった。別れた妻の塔子もそうだったが、やはり子供を産んでいない女性は老けにくいのだろう。

啓吾はそれから三十分近くもじっと美奈の寝顔を眺めつづけた。

自分がこの六年をかろうじて生きてきたように、この人も必死で持ち堪《こた》えるようにして生きてきたのだろう。その挙げ句、夫の神代は会社を追われ、いまにも逮捕という渦中で若い愛人のもとへと去ってしまった。きっとこの人も、もはや土壇場、ぎりぎり切羽詰まった状況なのだ。かつては自分の将来を思うと息ができなくなると言っていたが、すでに本日只今の正常な息継ぎさえもままならないのかもしれない。

いまの彼女は、このままでは生きることができなくて、それでも何とか生きつづけられるようにと必死で目的をこしらえようとしているのだろう。

だから、子供が産みたいなどと言っているのに違いない——啓吾はそう思った。

d

目を覚ましたとき、自分が居間のソファで寝ている理由が判然としなかった。

用心しつつ身体を起こしながら、今朝方まで神代美奈と飲んで、酔い潰れた彼女を隣の寝室のベッドに寝かせて自分はこのソファで眠ったのだと思い出した。

テレビのある方の壁に掛けた時計の針を読む。

もう午前十時半を回っていた。

すぐには立ち上がらずに、座った状態で腰の具合を点検する。ソファで眠ろうと思った際に、さんざんウィスキーを飲んだ末にこんなところで寝ては、せっかく改善してきた腰痛がまた悪化するのではないか、と多少不安になったのも思い出した。だが、どうやら問題はなさそうだった。

立って、まずはリビングのブラインドをすべて引き上げた。午前の明るい陽光で見る間に部屋が満たされていく。寝室と通ずるドアの前に立ってノックした。何度か叩き、美奈の名を呼んだが応答はない。ドアを開けると誰もいなかった。

ベッドの上の羽毛布団と毛布がなくなっている。シーツもはぎ取られてマットレスだけになっていた。

居間のドアを開けて二階の廊下に出る。浴室やトイレを挟んだ向こう側にキッチンとダイニングルームがある。両親の寝室は一階で、いま使っている二階の寝室がもとから啓吾の自室だった。六年前、下を改装したときに仏壇を二階の居間に移し、父母が使っていた六畳の和室は潰してテーブル席のためのフロアに変えた。

ダイニングのドアは開いていた。入っていくとキッチンの方で物音が聞こえる。

大名小学校の正門に面した窓際に昨日ハイアットのフロントで見た大きなスーツケースが置かれていた。

昨夜遅くに美奈が店に来たときはハンドバッグだけだった。ということは、彼女は今朝のうちに荷物を取りに一度ホテルに戻ったということか。

テーブルの上に置かれた新聞に気づいて、啓吾は椅子に腰を下ろした。新聞を音立てて開き、読むふりをしながらキッチンの美奈の反応を窺った。が、朝食でも作っているのか、出てもこない。一つため息をついて記事に目を落とす。五分ほどして、ようやく彼女がやって来た。

啓吾が顔を上げると、手に持っていたコーヒーカップをテーブルに置く。

「おはよう」

先に美奈が微笑んだ。

「おはよう」

とだけ返す。そのあとの言葉がなかなか思い浮かばない。

「じゃあ、そのコーヒーを飲んだら顔を洗ってください。すぐ朝御飯にしますから」

まるでずっと一緒に暮らしてきたかのようなあっさりした物言いで美奈が言う。

啓吾が幾分、困惑気味に彼女を見ると、

「効果的なダイエットがしたいなら、ちゃんとご飯を食べないと駄目なのよ。食事を抜くのが一番良くないんだから」

美奈はそう言い残してさっさと台所に戻って行ったのだった。

テーブルに並んだのは、ここ何年も見たことがないようなまともな朝食だった。

茄子《なす》の味噌汁と鰯のみりん干し、焼いた辛子めんたい、刻みオクラを載せた冷奴、それに白菜の漬物と昆布の佃煮、生卵の入った小鉢。美奈は真新しい土鍋を抱えて来ると啓吾と向かい合わせに座った。

目の前に置いた土鍋の蓋《ふた》を取る。途端に彼女の顔を覆うように炊きたてのご飯の湯気が立ちのぼった。それだけで食欲をそそる新米の香りが鼻腔をくすぐる。

この土鍋も色々な食材同様、きっと今朝になって美奈が手に入れてきたものだろう。

美奈は小ぶりのどんぶりにたっぷりとご飯をよそい、啓吾に差し出す。その小石原焼《こいしわらやき》のどんぶりをはじめ食器類はもとから戸棚にあったものだが、啓吾はろくに使ったことがなかった。

そうした器の取り合わせだけでも、目の前の食事が格段に豊かに見える。

「昨日はすっかり御馳走になったから、これはせめてものお返し。たくさん食べてちょうだい。藤川さん、昨夜はほとんど何も食べなかったでしょう」

美奈はそう言うと、軽く拝むように両手を合わせ、「いただきます」と口にしてから箸を取った。啓吾も、慌ててそれに倣《なら》って合掌したあと箸を握る。

こんなふうに誰かと朝食を食べることなど普段はありえない。

例年、正月三が日のうちのどこか一日、従姉妹の慶子の住む大橋のマンションに泊まりがけで出かけることにしている。その翌日の朝だけは慶子や美樹と同じ朝食の卓を囲む。それが唯一の例外だった。

具は茄子だけだったが、一度湯通ししたのか汁の色を染めることもなく、一口すすると鰹と昆布のダシがきいて、味噌汁は抜群の旨さだった。

「美味しいね、この味噌汁」

啓吾が思わず言うと、美奈はにこりと笑って、

「私の料理、藤川さんに食べてもらったことなかったものね」

と言った。

それから彼女は、自分の小鉢の中の生卵を取り上げた。

「もし、藤川さんが本気でダイエットするのなら、一ついいことを教えてあげるわ」

卵を人差し指と親指で挟んで、意味ありげな表情になっている。

「この卵一個で約五十グラム。野菜でも果物でも、豆腐、魚の切り身、ひき肉、固まり肉、全部この卵の大きさで大体五十グラムなの。ほとんどのカロリー表は百グラム単位でカロリーを表示してるけど、その百グラムがどのくらいなのか、よく分からないでしょう。でも、こうして卵一個分の大きさが五十グラムと覚えておけば、豚肉だってチーズだってタマネギだってじゃがいもだって、みんな同じ大きさで五十グラムなの。もちろんカロリー計算にも役立つし、お料理にも役に立つ。ねっ、便利でしょ」

「なるほど」

啓吾は大げさに感心しながら手元の小鉢の卵を手に取った。さきほどから啓吾のダイエットについてばかり喋るのは、自分がここにいる正当な理由がないことを美奈自身もよく分かっているからだろう。

「長年主婦をやっていると、一目見たり、ちょっと手に持ってみたりしただけで何でも大体の重さが分かるようになるの。そういうの目ばかり、手ばかりって言うのよ」

「目ばかり、手ばかり？」

「そう。目の秤、手の秤っていう意味だけど、私には目ばっかり、手ばっかりって言われてる気がする。主婦は毎日毎日、決まったことを決まったようにやるだけで、使っているのは目や手ばかり。頭なんてろくに使わないんだもの」

その美奈の真面目くさった台詞《せりふ》に、啓吾は笑った。

「そんなこと言うなら、男だって口ばっかり、足ばっかりてなもんだよ。似たようなもんさ」

「なるほどー」

今度は美奈の方が大げさに感心して、それから二人で声を上げて笑った。

朝食が済み、洗い物を終えると美奈は二階の掃除を始めた。

食事の最中、窓際のスーツケースに時折視線を送りながら、

――家にまで押しかけて来て、一体どういうつもりなのだ。まさか本気でここで暮らそうなどと考えてるわけじゃないだろうな。そんなこと承知できるわけがないし、まして子供をつくらせて欲しいなんて無茶な要求をしている人間に対して、まともに応じる者が一体この世界のどこにいるというのだ。

という趣旨を、美奈を余り刺戟《しげき》しない言い方で伝えようと何度か試みたが、上手く言葉を選ぶことができず結局何も言えずじまいだった。

そのあとは声を掛けようにも、美奈は始終動き回って隙を与えてくれなかった。むろん呼び止めて問い質《ただ》そうと思えば幾らでもできるわけだが、美味しい食事を久しぶりに腹いっぱい食べさせてくれた相手を、直後に無理やり追い払うような真似をするのは気がすすまない。とりあえず昼まで待って、美奈が再び昼食の準備を始めでもすれば、そこできちんと話をしようと啓吾は考えたのだ。

食事のときも、昨日の「せめてものお返し」と言っていたことだし、掃除を済ませ、干した布団や毛布を取り込めば、そこで彼女の方から暇乞いをする可能性もあるにはあった。昨夜は啓吾自身が美奈が酔い潰れるのを黙認し、自分で二階に運んで泊めもしたのだし、にわかに居丈高《いたけだか》な態度に出るのも身勝手と言えば身勝手過ぎる話でもあった。

美奈がダイニングや廊下を掃除しているあいだ、啓吾は居間のソファに座ってテレビを観ていた。店の掃除は昨日やったし、店で使う食材も昨夕まとめ買いした。差し当たり開店時間の六時まで何もすることがないのだ。いつもならばそれが当たり前の火曜日なのだが、こうして目の前でせっせと身体を動かしている人がいると、なにやら自分だけがなまけているような申し訳ない気持ちになる。同時に、自身の日常がいかにダラけたものであるかを嫌でも再認識させられるのだ。

十一時半から始まる民放各局のニュースをリモコンをカチャカチャやりながら眺めていると、向こう側の掃除を終えたらしい美奈が掃除機を抱えてやって来た。

「ちょっとだけ掃除機かけていいですか」

啓吾は頷く。大したニュースがあるわけでなし、テレビを消してそそくさと寝室に引っ込んだ。

五分ほど吸塵音が響いていたが、それが止むとテレビのスイッチが入る音が聴こえ、

「テレビ観てもいいですよ」

美奈の声がする。

別に外出の用事もないのだが、外着に着替えてから啓吾は居間に戻った。

するとソファの前のテーブルに父と母の位牌と遺影をおさめたそれぞれの写真立てが並んで置かれている。窓側の仏壇の方を見れば、美奈が大きな仏壇に半身を埋めるようにして中を磨いていた。

「おい、いい加減にしてくれないか」

咄嗟に啓吾は大きな声を出していた。

美奈が布巾を持った手を止め、身体を真っ直ぐに戻して怪訝そうに振り返った。

啓吾はすこし言葉が強過ぎたと即座に後悔していたが、といっていまさら発言を引っ込めるわけにもいかない。

「一体どういうつもりだ」

ぽかんとしている美奈に向かってもう一言ぶつける。

「どういうつもりって」

だが、美奈は怯《ひる》んだ気配も見せずに問い返してきた。おとなしそうなタイプに見えて案外に気性の激しい女性であることは以前から知っていた。

「そこは、きみが勝手に掃除をしていい場所じゃない」

啓吾が言う。

「どうして」

美奈は納得できない顔になっている。

「どうしてもこうしてもないだろ。幾ら何でもずうずうし過ぎないか」

「だけど、あなたこそ全然、御仏壇のお掃除をしていないじゃない。埃だらけで、これじゃあ仏様が可哀そうだわ」

「だからといってきみのような部外者に、僕の家の位牌を無断で動かされるのは御免だ。断りもなしに他人の家の仏壇をいじるなんて、非常識と思われて当然なことだろ」

「そういう堅苦しい考え方、私は大嫌い」

美奈ははっきりと言い、ひとつため息をついてみせた。

そして布巾を窓敷居の上に置くと、啓吾の方へ歩み寄ってくる。テーブルの上の写真立て

の一つを取り上げて、

「この方、啓吾さんのお父さまでしょ」

と言った。昨日以来、初めて彼女が彼のことを「啓吾さん」と呼んだ。

「そうだよ」

啓吾もすこし冷静になっている。

「今朝、このお父さまの夢を見たわ」

「夢？」

不意に突飛な事を持ち出されて啓吾は面食らってしまう。

「ええ。起きたときは誰だかはっきり分からなかったけど、さっき仏壇でこの写真を見て、ああ、やっぱりあのおじいちゃんは啓吾さんのお父さまだったんだって分かった」

美奈は亡くなった父の写真を感慨深そうな目で眺めている。作り話をしているようにはとても見えなかった。

「どんな夢を見たっていうの？」

奇妙な話の成り行きではあるが、その夢の中身を訊かずにはいられない。美奈の方はちょっともったいをつけるような顔つきになる。

「私が下の店のカウンターに立ってお客さまを待ってたら、ふらっとお父さまが入って来られたの。私が注文を訊くと『熱燗《あつかん》をくれ』って言って、それで私、棚を全部覗いて日本酒を探すんだけど全然見当たらないの。だから『すみません。日本酒は置いてないんですが』と謝ったら、『この店は、日本人のくせに麦の酒ばかり売って、それが俺には悔しくてたまらん』ってお父さまが本気で悔しそうな顔をするの。そして、さっさと店を出て行ってしまったの。それで、ああ、やっぱりそういうことかって私は思ったのよ」

啓吾は美奈の話す夢の内容にびっくりした。たしかに父の伸吾は大の日本酒党で「米屋が麦の酒ば飲んどったら、どげな顔して商売すればよかとか」と生涯ビールやウィスキーには目もくれなかったのだ。「ブランケット」を開くとき、啓吾もそんな父が大事に守ってきた店をスコッチの専門店にすることに多少の躊躇《ためら》いはあったのだった。

それにしても、彼には美奈が最後に付け加えた台詞が気になった。

「やっぱりそういうことかって?」

と訊く。

「昨日の晩、初めて店のドアを開けて一歩店内に入ったときに、何だか分からないけど入りにくい店だなって気がしたの。それでしばらく店の中を見回してみたんだけど、内装とか雰囲気とかじゃなくて、もっと別の理由でそういう感じがするのが分かった。何て言うのかな、誰かが、お客さんが店に入るのを恥ずかしがってるような、嫌がってるような、そんな感じがあったのよ」

そういえば、美奈はあのとき店の入口で立ち止まり、しばらく店内を観察したあとで一度頷いてからカウンターの方へと近づいてきた。

「その誰かが、うちの親父だっていうのかい」

「恐らくね。私のそういう勘って昔からよく当たるのよ。一度も会ったことのないお父さまが夢の中にも出てきたくらいだし、多分間違いないわ。これからは少しでいいから日本酒やお米の焼酎もお店に置いてみたらいいんじゃない。そうしたら、きっといまよりもお客さんが沢山来てくれるようになると思うわ」

啓吾は、信じがたいような不思議な話をいかにも普通のことのように喋る美奈にやや啞然としていた。が、その一方で彼女の言い分にある程度の説得力を感じてもいる。

「そういうことだから、御仏壇の掃除くらいさせて貰っても構わないでしょう」

彼女に逆に念を押されるような物言いをされ、啓吾は渋々ながらも頷いてしまう。

美奈は笑みを浮かべて、

「朝御飯が遅かったから、啓吾さん、お昼は食べなくていいよね」

と言う。

「いいよ」

と答えると、

「じゃあ、もしヒマだったら下の店の風通しでもしてきたら。そのあいだに、私、ここと寝室のお掃除を済ませちゃうから」

壁の時計を見ると、あと五分で昼のＮＨＫニュースの時間だった。が、何となく相手のペースに乗せられたようで言い出せず、啓吾は黙ってその場を離れざるを得なかった。

昨日につづいて店の片づけなどしていると、二十分ほどして美奈が降りてきた。手には薄いココア色の液体の入ったグラスを一つ持っている。

ミニキッチンから顔を出した啓吾にカウンター越しにグラスを差し出す。

「これどうぞ」

「何、これ」

受け取りながら訊ねる。

「バナナきなこミルク。お昼御飯のかわり。意外においしいし、お腹にもいいのよ。まあ自家製プロテインみたいなものね」

「きみが作ったの？」

「ええ、ミキサーがあったから。私も上で飲んできたわ」

口にしてみると、きなこの香ばしさがほどよくて、なるほど美味だった。目の前の美奈は服装が違っていた。さっきまでは昨日と同じデニムのパンツに長袖のシャツだったが、いまは黒のカットソーのスカートに紫のニットアンサンブルで、首には昨夜とは別のキナリのストールを巻いている。いよいよ引きあげるのか、と思いつつ、啓吾は一抹の淋しさを禁じ得なかった。

「今日は、いまから何か予定があるの？」

啓吾がバナナきなこミルクを飲み干すと美奈が言う。

「開店まではとりあえず何もないけど」

あの大きなスーツケースを降ろしてやらなければ、と啓吾は考えながら答える。

「だったら散歩でもしましょうよ。あたたかくなってきたし、空も晴れてきたわ。どこかこのあたりに大きな公園ってないの？」

だが、美奈の口から出てきたのは彼の予想とは異なる台詞だった。

啓吾はズボンのポケットから携帯を取り出して時間を確かめる。ちょうど十二時半になるところだった。朝食のとき同様、喉元まで「一体、いつになったら出ていくんだ」という言葉が出かかるが、まだこの時間であれば、散歩に付き合うくらいは構わないと思い直す。美奈の言う通り、窓の外の日差しはいつの間にか明るさをぐんと増していた。

誰かと散歩するなど久しぶりだ、と啓吾は思う。それより何より、男一人の暮らしではそもそも散歩という発想がない。

とにかく一緒に公園でも歩きながら、美奈とじっくり話をする方がいいだろう、と啓吾は自分に言い聞かせた。

「大濠《おおほり》公園という有名な公園が近所にあるよ。バスか地下鉄を使えば一駅の距離だ。まあ歩いても行けないことはないいけどね」

「じゃあ、その大濠公園に行きましょうよ。私、地下鉄がいい。空港からホテルに来るときに使ったけど、福岡の地下鉄ってほんとにきれいなんだもの」

美奈は俄然乗り気な様子になって言った。

e

啓吾の店から最寄りの「赤坂駅」までは歩いて四分程度の距離。そこで市営地下鉄空港線に乗れば一駅、約二分で「大濠公園駅」に到着する。公園方面の三番出口を出ると、すぐ目と鼻の先が大濠公園だった。

福岡の地下鉄は、各駅それぞれのシンボルマークが駅名と共に表示板に大きく描かれている。大濠公園駅のシンボルは桜の花びらの図案だ。

「ここって桜の名所なのね」

電車を降りてそのピンク色のマークを見つけ、美奈が言う。

「それがそうでもないんだ。大濠にはあまり桜は植わってない。福岡の桜の名所といえば、ここから博多湾の方へ十五分ほど歩いたところにある西公園という公園の方だね」

「ふーん」

改札口を並んで抜けながら美奈はすこしがっかりしたような声になっている。

「どうしたの。十月の末に桜見物でもないだろ。それに、上に出たら分かるけど、桜はともかく、ほんとに素晴らしい公園だよ」

啓吾が笑う。

三番出口を出て、園内駐車場へとつづく道に沿って舗道を歩いて行くと、公園の広々とした美しい景色が眼前に開けてくる。

「すごーい」

隣の美奈が感嘆の声を上げた。

もともとここは、戦国の武将、黒田長政が福岡城を築城する際に、博多湾の入江であったこの地を外堀として利用したことから生まれたもので、四十万平方メートルの公園敷地の半分以上を巨大な濠池が占めている。約二キロの池の周囲には周遊道が整備され、野鳥の森、児童遊園、日本庭園、美術館、能楽堂、ボートハウス、レストランやカフェなどが並び、濠の中には中央の松島をはじめ、菖蒲島、柳島の三島が四つの橋で結ばれている。さらに柳島には、島と岸辺とをつなぐ観月橋へと張り出す恰好で優美な浮見堂が設置されていた。

大濠公園は日本有数の水景公園として、かつての黒田家五十二万石の城下町・福岡のシンボル的な存在でもあるのだ。

園内に歩を進めると、児童遊園のイチョウやナンキンハゼの木々の葉がわずかに色づいているのが分かる。平日の昼間とあって小さな子供を連れた母親の姿がちらほら見える程度だが、遊園から池の方へと目をやると、秋の柔らかな日差しの中、周遊道を散歩したりジョギングしたりしている人々で濠端はそれなりに賑わっていた。

「なかなかいいところだろ」

啓吾が言うと、

「ほんとにきれいな公園ね」

美奈も素直に頷いてみせる。

「この池の周りを二周でもすれば、結構な運動になる」

「啓吾さんもよく歩いてるの？」

「全然。ここに来たのも二年ぶりくらいだ」

「なーんだ」

両腕を突き出して伸びをするような恰好で歩きながら、美奈が笑った。

啓吾はポケットの携帯を取り出して時間を確認する。まだ一時前だ。

「じゃあ、ちょっと頑張って歩こうか」

一声掛けて、ボートハウスの見える方向にすこし足を速めた。今日中に美奈に出て行ってもらおうと、その話をつけるために来たのだが、心地よい風と水辺のしっとりと落ち着いた雰囲気に触れているうちに、余計なことなど考えず、この美しい景色の中をただ歩いてみたいという気分になっていた。

ボートハウスやさらに先の観月橋のあたりはたくさんの鳥たちで水面も橋の上も埋めつくされんばかりだった。よく見ると、幾人かが鳥に餌《えさ》を撒《ま》いている。彼らの周りには何十羽ものゆりかもめや鳩が群れ集まって来ていた。

「美奈さんは、生きてる鳥も駄目なんだっけ」

濠池沿いの周遊道に入ったところで啓吾が言う。

「あんなことする人たちの気が知れない」

美奈は眉をひそめるようにして鳥の大群に餌をやっている人々の方を見ていた。

初めて彼女と二人だけで食事をしたときに、お互いの好き嫌いの話で大いに盛り上がった。というのも音楽や小説、絵や映画、タレント、好きなスポーツ、好きな季節、好きな場所、好きな色などなど、二人の好みが余りに一致していて呆れるくらいだったからだ。そんな中で、嫌いな食べ物は何かという話になった。

美奈の嫌いな食べ物は鶏肉で、啓吾はナマコがどうしても駄目だと打ち明けた。

すると、美奈はぼやくようにこう言ったのだ。

「ナマコは不便じゃないけど、鳥はすごい不便」

その言い方が可笑しくて、啓吾は笑った。

「何で鳥が駄目なの」

と訊ねると、

「あの毛をむしったあとの鳥肌が気持ち悪くて駄目なの。見てるだけでこっちが鳥肌立ってきちゃう」

そういえば、あの晩の美奈もちょうどいまみたいな憮然とした顔をしていた。

「じゃあ、鶏肉はまったく食べられないの？」

さらに啓吾が質問すると、

「焼き鳥だったら何とか口に入れることができるけど」

と言う。

「口に入れることができるってどういうこと？」

この彼の問いに美奈は合点のいかない顔をした。

「だから、そのあとどうするのさ？」

苦笑しながら訊き直すと、美奈は、

「ただ目をつむって飲み込むのよ」

眉間に皺を寄せてほんとうに厭そうな表情でぼそりと言った。

その顔を目にした瞬間、自分はこの人のことを心から好きになることができるだろう、と啓吾はなぜか直感したのだった。

観月橋のたもとまで来ると、美奈が啓吾の腕に手を回してきた。

「鳥ってよく見ると何だかすごく気味が悪いでしょ。特にあの目がイヤ。あれって間違いなく爬虫類の目よね」

「そうかなあ」

美奈の手のぬくもりを腕に感じながら、啓吾は言う。

「人間が自分以外の動物に対して羨ましいと少しでも思うとしたら、それは鳥を見たときだけじゃないかな。僕も、鳥が空を飛ぶ姿を眺めると、ああやって自由に飛べるのはどんなに気持ちいいことだろうって、やっぱり羨ましくなる」

「私はイヤ。鳥みたいにミミズとか虫とか食べるのも絶対イヤだし」

美奈は回した手に力を込めてきた。

「なんだか偏見っぽい意見だなあ」

啓吾は思わず笑ってしまう。

「だけど、鳥が嫌いっていうのも最近じゃ不便というより便利だ。きみは絶対に鳥インフルエンザには罹らないね」

啓吾が言うと、

「あれって鳥たちの復讐なのよ。そのうち豚インフルエンザとか牛インフルエンザとか鯖インフルエンザとか、どんどん出てきて、人間はきっとひどい罰を受けることになると私はいつも思ってるの」

美奈の口調はいかにも確信めいている。

「まあ、鳥インフルエンザウィルスも豚の体内で変異してヒトに感染するようになるって言われてるし、牛はBSEでとっくの昔に復讐を開始してるしね。羊だってゲップで地球温暖化をぐんぐん加速させてるわけだからね」

「羊のゲップって?」

美奈が聞き返してくる。

「羊や牛のような草食の反芻《はんすう》動物は、食べた草を胃袋で発酵分解させるときに大量のメタンガスをゲップとして吐き出すんだ。大人の乳牛なんて一日五百リットルものメタンのゲップをするって言われてる。ニュージーランドみたいに羊の数が人間の数の十倍もいるような国じゃあ、国中で排出される温室効果ガス全体の三割が彼らのゲップで、いまや二酸化炭素削減と並んでメタンの削減は国家的大問題なんだ。しかもまずいのは、メタンっていうのは二酸化炭素の二十倍以上の地球温暖化効果を持ってるってことだ。要するに人類は、いずれ羊や牛のゲップで南極の氷を溶かされて、みんな溺《おぼ》れ死ぬ運命にあるってわけだよ」

「それって真面目な話なの」

「そうだよ。いまや世界中でゲップを減らす発酵飼料の開発競争が繰り広げられてるくらいなんだから」

「何だか馬鹿みたいな話ね」

美奈が呟く。その呟きを耳にして、啓吾はふと神代富士夫のことを思い出した。

人間の愚かさはいつの時代も止《とど》まるところを知らない。むしろこの世界では、そうした愚かさを身をもって演ずることこそが人生の目的なのではないか、と近頃の啓吾は考えるようになっていた。だとすれば、莫大な粉飾決算を陣頭指揮し、世間を騒がせ、いまや逮捕目前の苦境に陥っている神代は、中途で尻尾を巻いて会社を逃げ出した自分などと違って、まさに今現在、活き活きとした本物の人生を体験しているのかもしれない。

「まあ、鳥インフルエンザで滅ぶのもよし。羊のゲップで滅ぶのもまたよし、ってことだと僕は思うよ」

頭に浮かんだ神代の姿を払拭《ふっしょく》して、啓吾は言う。

「だけど、そんなとき最初に死んでいくのはいつだって子供とか老人とかじゃない。戦争だって真っ先に死ぬのは若い人たちでしょ。私、そういうのが我慢できない」

「それは、きみが死ぬことを辛くて苦しい、厭なだけのことだと決めつけてるからじゃないかな」

「でも、私はやっぱり鳥インフルエンザや羊のゲップなんかで自分が死んだり、大事な人を失ったりするのはイヤ」

「そう言われればそうかもしれないけど、僕の場合、大事な人も別にいないからね。気が楽と言えばすごい楽だな」

「私にだって大事な人なんて誰もいないわ。でも、私はそれで気が楽になんてなれない。逆に、たまらなくさみしくなってしまうだけ」

美奈はそう言うと、自分から回していた腕を外した。鳥の群れが視界からようやく遠ざかったのだ。

しばらく並んで歩く。野鳥の森の手前に小さな公園があり、その中の幾つかのベンチには若い男女が二、三人ずつ座ってコンビニの弁当を食べていた。恐らく近所にある美容専門学校の生徒たちだろう。大方が髪を派手な色に染め、服装もカラフルだ。

「啓吾さん、コンビニのお弁当って食べたことある？」

不意に美奈が訊いてくる。

「あるよ。といっても夏場に冷し中華やそばを食べるくらいで、弁当は一、二回しか食べたことないけどね」

「そうなんだ。私はまだ一度も食べたことないの」

「なんで？　食べたいの？」

「そういうわけでもないけど、ああやって若い人たちが食べてるのをたまに見ると、美味しいのかなって」

「だったら、一度買って食べてみればいいじゃないか」

啓吾が笑う。

「まあ、そうなんだけどね」

美奈も曖昧に微笑む。

「じゃあ、今度……」

そこまで言って啓吾はあとの言葉を飲み込んだ。つい「一緒に食べてみようか」と言おうとしたのだ。

美奈は言葉が途切れたことには気づかないふうで、一歩、啓吾の前に出た。

それからの彼女は、啓吾の二メートルほど先を黙々と歩きつづけた。一度も振り返らない。

その小柄な背中を見つめながら、

——この人は一体何を考えているのだろう。

啓吾は漠然とそう思っていた。そして翻《ひるがえ》って、

——じゃあ、俺は一体何を考えているのだろう。

とも思った。

前を行く美奈の胸中が摑めないのはまだしも、よくよく我が身に問いかけてみれば、自分がいま何を考えているかさえも定かとは言えなかった。

突然押しかけてきた闖入者《ちんにゅうしゃ》に一刻も早く退散して欲しい、と願っているがごときだが、しかし、美奈の出現を自分が本当に迷惑がっているかといえば、そうでもない。ならば、そんな相手を追い払いたいなどと本気で思えるはずもない。親友であり美奈の夫でもある神代への義理立てゆえかと言えば、それもそうではない。たとえ関係を持たなかったにしろ、自

分はもう六年以上も前に彼のことを裏切ってしまっているのだ。

しがないバーのオヤジであればさして気にすべき世間体もありはしない。五十間近の男のもとに四十過ぎた女が一人転がり込んだところで、誰の関心を惹くわけでもないだろう。であれば、美奈の望み通りにたかだか一ヵ月、一緒に暮らしてみても罰は当たらないのではないか。子供云々《うんぬん》の話など取り合わなければいい。幾ら求めてみたところで彼女一人で妊娠できるはずもない。自分が気をつければそれで済む話だ。

歩きながら考えていると、馬鹿げた妄想ばかりが首をもたげてくる。

やはり、はっきりと拒否の態度を示さなければ、と啓吾は心を固めた。

ちょうど半周、市立美術館の正門のあたりで彼は美奈の背中に声をかけた。

「ところで、今日は何時頃の飛行機で帰るつもり？」

だが、聞こえなかったのか美奈は無反応だ。彼はすこし近づいて、

「店を開ける前だったら空港まで送って行くよ。大きな荷物もあることだし」

再度、声をかけた。

それでも美奈は振り向きもしない。その失敬な態度に啓吾はさすがにむっとする。

「美奈さん」

高い声で呼んだ。その途端だった。美奈は思いもかけぬ反応を見せた。啓吾に名前を呼ばれた瞬間、まるで逃げるように彼女は一目散に駆け出したのだ。呆気に取られた啓吾も慌て

てあとを追いかける。しかし、美奈は予想以上の全力疾走だった。最初は小走り程度だった啓吾だが、あれよという間に間隔をあけられてやむなくスピードを上げた。美奈は周遊道からグリーンに塗装された隣のジョギングコースに移って、児童遊園の方へとひた走っている。軽やかな足運びに黒のスカートの裾がひらひらと揺れていた。

そういえば、と啓吾は初めて二人で食事をしたときのことをまた思い出した。彼も中学、高校とずっと陸上部だったが、美奈も高校まで中距離をやっていたと言っていた。そんなところも似ている、とあのときは互いに驚いたのだ。

美奈に追いついたのは、ボートハウスの手前だった。

相変わらずの鳥の大群が見えてきて、不意に彼女は足を止めたのだった。

啓吾は歩き始めた彼女の隣についたものの、息が上がってしばらくは声も出せなかった。せいぜい五百メートルほどの距離のはずだが、日頃の運動不足を思い知る。

「そんなに走って、啓吾さん、腰は大丈夫？」

美奈の方はほとんど息に乱れもない。

「すっかり忘れてた」

やっとの思いで言い、

「きみが返事もしないで急に走り出すから悪いんだ。まったく頭に来るよ」

「でも、これだけ走って痛くないのなら、もう腰は問題なしね」

美奈は言い、

「よかったじゃない」

およそ悪びれるふうもない。

「あのさあ……」

ようやく呼吸が落ち着いてきた。

「きみには悪いけど、今日は出ていってくれないか。もう僕のところに泊めるわけにはいかないし、きみだって早く東京に帰った方がいい。神代の逮捕も迫っているんだろ」

啓吾はすっかり疲れて、もう遠慮する気も失せてしまっていた。おかげですんなり思っていたことを口にできる。

「それは無理よ」

だが、美奈は言下にはねつける。

「どうして？」

「だって私はもう日本にはいないんだから」

昨日ホテルで会ったとき、一ヵ月ほどアメリカに出かけると神代に伝えた、と彼女が言っていたのを思い出した。

「そうはいっても……」

啓吾が呟くと、

「それに……」

美奈が言葉をかぶせてくる。

「帰れって、一体どこに帰ればいいのよ」

まるで怒ったような声だ。これでは主客転倒もいいところだ、と啓吾は感じる。

「どこって東京の自分の家にだろ」

「私、自分の家なんてないわ」

「何を馬鹿なこと言ってるんだ」

そこで美奈は再び足を止め、強い光を宿した瞳で啓吾を睨みつけてきた。

「私には帰るところなんてない。六年前のあの日、羽田にあなたを追っ掛けて行ったときに私は家を捨てたの。それからはもう私の家なんてどこにもない」

やがてその見開いた瞳の表面に涙が盛り上がってくるのが見てとれた。

何も言えなくなった啓吾は美奈の顔から目を逸らし、いまは観月橋の上空を気ままに舞っている無数の鳥たちの姿をぼんやりと眺めた。

f

妙に寝苦しくて目を覚ましたのは、まだ夜が明けきらぬ頃合だった。

やはりソファで眠るのは腰への負担が大きい。半身を起こし、テーブルの上の携帯を摑んで時刻を見る。午前五時四十五分だった。

ちょうどそのとき、戸外で自転車が止まる音が聞こえ、つづけて一階の郵便受けに新聞が投げ込まれる音がはっきりと聞こえた。

その音に何かしら胸騒ぎのようなものを覚えて、啓吾は立ち上がると忍び足で部屋を出た。階段を降りて勝手口のドアから朝刊を抜き取り、店の明かりを灯す。カウンターの上で畳まれていた新聞を広げた。

明治化成元社長ら逮捕へ　東京地検、粉飾指示の疑いで

巨大な活字が躍る一面トップ記事の見出しが目に飛び込んでくる。

啓吾は心の動揺を抑えて、見出しのあとにつづく記事を慎重に読み進めていく。

〈経営再建中の明治化成旧経営陣が巨額の粉飾決算を指示したとされる問題で、東京地検特捜部は、同社の川尻隆一・元社長（63）ら3人を証券取引法違反（有価証券報告書の虚偽記載）の疑いで26日に本格的に取り調べる方針を固め、出頭を要請した。容疑が固まり次第、逮捕する見通し。創業122年を数える名門企業の不正経理問題は、経営トップの刑事責任

が問われる事態に発展する。

粉飾決算への関与を指摘されているのは川尻元社長のほか、主力銀行の東洋銀行出身だった窪田善幸・元副社長（58）と経理担当だった神代富士夫・元取締役（49）。

特捜部は明治化成の不正経理問題が表面化した7月以降、証券取引等監視委員会と連携して、同社の経理担当者らを対象に、粉飾決算の方法や川尻元社長らの関与について事情聴取を進めてきた。その結果、川尻元社長や窪田元副社長、神代元取締役らが粉飾を主導していたことが判明したとされる。

また、今年8月に東京、大阪の両証券取引所で同社株が上場廃止になるなど株主や投資家への影響も大きく、粉飾を長年にわたって続けていた旧経営陣の責任は重いと判断したものと見られる。

特捜部の調べや同社の内部調査結果などによると、明治化成は03年3月期までの5年間に総額2250億円を粉飾した。〉

二度読み直して、社会面の関連記事にも目を通し、新聞をカウンターに置いた。

記事に書かれた二十六日とは今日のことだ。

この記事は、地検関係者への取材にもとづくスクープだろう。いわゆる逮捕情報の前打ちと呼ばれるものだ。

神代はすでに何度も事情聴取を受けているから、今日は任意で地検に呼ばれ、検察官との簡単なやり取りのあと、その場ですぐに逮捕状を執行されて、身柄を拘束されるものと思われる。

ミニキッチンに置いてある小さな時計で時刻を確かめた。

午前六時ちょうどだ。もう余り時間がない。

啓吾は新聞を摑むと、二階の寝室で眠っている美奈を起こすために階段をダッシュで駆け上がった。

美奈は突然叩き起こされて朦朧《もうろう》とした様子だったが、朝刊を目前に突き出すと、さすがに表情が一変した。啓吾同様、念入りに記事を読み返したあと、無言でベッドの脇に立っている彼を見つめてくる。

「一刻も早く東京に帰った方がいい。この書き方だと神代は昼前には出頭し、おそらく午後早く、場合によっては夕刊の締切り前にも逮捕される可能性がある。それまでにきみは自宅に戻っておかないと。いますぐに支度してここを出れば、朝一番の飛行機で羽田に戻れる。遅くとも十時には自宅に帰り着けるだろう」

神代の家は、三田の慶応女子高校のすぐ近くだったはずだ。

「だけど……」

美奈の顔には逡巡《しゅんじゅん》の色が滲み出ていた。

「迷っている時間なんてない。早く支度をしてくれ。荷物はとりあえず置いて行ってくれて構わない。僕が時期を見て送り返すから。とにかく急いでくれ」

「でも、私はもうアメリカに行ってることになってるし、神代はきっと富永優花の家から直接地検に向かうはずよ。逮捕されたら拘置所に入ることになるし、何も私が慌てて自宅に戻る必要なんてないわ」

冷静さを装ってはいるが、明らかに動揺した声つきで美奈が言う。

「そういうわけにはいかないだろ。神代たちが今日逮捕されるということは、同時刻に容疑者全員の自宅が一斉に家宅捜索を受けるってことだ。検察官たちが令状を持って三田の家を訪ねたときに誰もいなかったら、一体どうなるんだ。それとも、きみは家を出る際、ガサ入れのことも説明した上で誰かに留守番を頼んできたのか」

「家宅捜索……」

そんなことは思いも寄らなかったのだろう。美奈は啓吾の言葉に絶句した。

「もし留守番もいないとなると、法的には鍵を壊して中に踏み込むことも可能だ。そんなことになれば、家の中は目茶苦茶にされてしまう。それでなくても家中を引っくり返されて無関係な物まで根こそぎ持っていかれるのが常なんだ。それに、一番問題なのは、そうやって自宅に誰もいないとなれば、家族ぐるみで捜査に対して非協力的と見なされて、捕まった神代の処遇にも影響することだ。取り調べだって当然きつくなるに決まっている。きみは彼をそんな状況に追いやってもいいって言うのか」

「鍵を壊すなんて、そんな……」

「当たり前じゃないか。逮捕した神代の容疑を固めるための捜索なんだ。犯人側が証拠を隠したり提示しないとなれば強制的に踏み込むのは捜査の常道にすぎない」

啓吾は美奈に強い調子で語りながら、内心では若干の後ろめたさも感じていた。

今日逮捕であれば、検察は神代宅の所在確認、現況についてとっくに調べ済みだろう。誰も家にいないと分かっていれば、当然、神代本人に自宅の鍵の提供を求めるはずだ。神代にしても今回の出頭要請を受けて、美奈が不在と知っている以上、誰か代わりの立会人を家宅捜索に備えて自宅に待機させておくに相違ない。

もしかすると、富永優花にその役目を託している可能性もある。そうなれば、今日、三田に帰った美奈と優花とがガサ入れの最中に神代の自宅で鉢合わせということも十分にあり得る。

美奈にとっては忍びない話ではあるが、それでもやはり彼女は家に帰るべきだ、と啓吾は思った。たとえ愛人をつくり、家に寄りつかない夫であったとしても、これほどの事態となれば彼女には妻としての役目をしっかりと果たす義務がある。そうやってなすべきことをなし、果たすべき責務を果たしてこそ、初めて互いの関係にけじめをつけることもできるのだ。

ましてや神代は啓吾の友人だった。六年前もそうだったが、ただ苦しい現実から逃れるために別の新しい関係を望む美奈に、最後の最後で啓吾は乗り切れなかった。そうした美奈の姿勢は今もさして変わっていないと彼は見ていた。

もし仮に自分が美奈を受け入れるにしても、神代とのあいだでまずは決着をつける必要がある。だが、これほどの苦境に投げ込まれた友にそんな話をすぐに持ち出せるはずもない。

いまだに躊躇っている気配の美奈に、

「今後のことはともかく、今日だけは神代のために家に帰ってやってくれないか。この通りだ」

啓吾は深々と頭を下げてみせた。

さすがに美奈も、ベッドから立ち上がる。

「分かったわ」

それだけ言うと、彼女は寝室のドアを開けて出ていった。

美奈の身支度は素早かった。彼女が店の前でタクシーに乗り込んだのは六時半ちょうどだった。啓吾も一緒に空港まで行くつもりだったが、美奈に固辞された。その気持ちも理解できるので彼はあえて強引についていくことはしなかった。

福岡空港までは道が空いていれば二十分もかからない。なんとか七時十分発のＡＮＡかＪＡＬの第一便に間に合うだろう。

美奈がいなくなったあと、啓吾は居間のソファに戻って、あらためて新聞を開いた。神代逮捕の記事をもう一度念入りに読み直し、それから他の記事に目を通した。特段、彼の興味を惹く話題は見当たらない。

新聞を畳んで、コーヒーでも淹《い》れようかと思いつつ部屋の中を見回した。さして広くもない居間だったが、自分独りになってみるとひどく静かでがらんとしていた。この二日間の慌ただしさがまるで一瞬の蜃気楼でもあったかのように思える。

啓吾は立ち上がった。時計の針は七時十分を指している。美奈を乗せた飛行機がいま離陸したところだ。

そう思った瞬間、啓吾は底深い物哀しさにとらわれた。

ずいぶん昔、まだ離婚する前、妻の塔子に言われた言葉がどうしてだか不意に脳裡に甦《よみがえ》ってくる。

——私たち女は心と身体で生きる。だけど、あなたたち男は、目と頭だけで生きようとする。

その塔子は三年前の春、突然電話を寄越して、「私、再婚することになったわ」と報告してきた。そして翌日、やはり美奈同様に何の断りもなくここを訪ねてきたのだった。彼女は昼近くにやって来て、勝手に部屋に上がり込むと、掃除、洗濯をして、晩御飯を作ってくれた。

「俺に彼女がいたらどうする気だったんだ」

食事の最中に啓吾が訊くと、

「あなたは、そんなことができる人じゃないでしょ」

塔子は面白そうに言った。

その日の午後九時頃、彼女は帰って行った。帰り際に、

「もう何も思い残すことはないわ。たぶん」

と笑顔で言い残して。

考えてみれば、当時の塔子は今の美奈と同じ四十三歳だった。

啓吾には、塔子のあのときの振る舞いが一体何だったのか現在でもよく分からない。が、こうして美奈が出ていったあとの部屋にぽつんと一人残されてみて、何となく、今回の美奈の行動や三年前の塔子の行動が、かつて塔子が呟くように口にしたあの言葉に見事に繋《つな》がるような気がしたのだった。

たしかに、と啓吾は思う。

「心と頭」、「身体と目」とは男女の根源的な差異を表すまさに秀逸な対比ではなかろうか。

彼はコーヒーを淹れるためにキッチンに行くのをやめて、閉まっていた寝室のドアを開けた。

ベッドに歩み寄る。

毛布と羽毛布団が、美奈の抜け出したままの状態であった。啓吾はその中にそっと右手を差し入れてみる。まだあたたかかった。美奈のぬくもりだ。さらに前かがみになって鼻を近づける。ほのかな女性の香りがする。

啓吾はベッドに横になり、その美奈のぬくもりと香りのする毛布と羽毛布団を頭までかぶった。シーツに残った温みとあいまって全身がえも言われぬ心地よさに包まれる。

ペニスが脈打つように激しく勃起していた。

硬直したペニスをしごきながら目を閉じて、美奈の顔や姿態の一つ一つを脳裡に浮かべる。一昨夜、酔い潰れた彼女を着替えさせた折に見た美しい身体を反芻する。

同時に、六年前、羽田空港で彼女の申し出を断ったときに美奈が口にした言葉を思い出していた。彼のにべもない態度にすっかり観念した様子で、「あなたの気持ちはよく分かったわ」と呟いた美奈は、

もしも、私があなただったら……。

もしも、私があなただったら、こんな私のことを置いていったり絶対にしない。

と喉から絞り出すような声で言ったのだ。

啓吾は下腹部に痺れるような快感を覚えながら、あの瞬間の美奈のいまにも泣きだしそうな顔を瞼の裏に鮮明に甦らせた。

これで美奈と自分との縁は完全に絶たれた。というより、自分と彼女とのあいだにはほんの一筋のか細い結びつきさえも初めからありはしなかったのだろう。

そのことが啓吾には無性に物哀しい。

もしも、私があなただったら、こんな私のことを置いていったり絶対にしない。

と心の中で静かに呟いてみる。

今度は美奈と自分との立場がそっくり入れ替わってしまったような、そんな気が啓吾にはした。

g

松崎治療院から戻ってみると、店の前に慶子が立っていた。慌てて啓吾は携帯の表示画面で日付と時刻を確かめる。午前十一時を五分ほど回っていた。早朝から美奈を送り出したり、二日遅れで松崎先生のところに顔を出したりで、すっかり今日が慶子の来る水曜日であることを失念していたのだ。

「ごめん、ごめん。ちょっとカイロに行ってて遅くなっちゃった」

急いでドアを開けながら啓吾は謝った。

「大丈夫。私もいま来たところだから。それより腰の具合はどうなの？」

「だいぶ良くなってるって。それでも当分は、重い物を持ったり激しい運動なんかはしない方がいいって言われたよ」

「まだ痛いの」

「それが全然。実感としては完治してるような気がするんだけどね。ただ、先生の触診だと、腰の筋肉がいまでもすこし腫れてるらしい」

「だったら先生の言う通り、無理しちゃ駄目だよ」

「ああ。気をつけるよ」

二人して店に入り、慶子はいつものように突出しの入った密閉容器を手提げ袋から取り出して冷蔵庫にしまってくれる。啓吾はカウンターの外からその様子を見ていた。

「今日はスズキのマリネと子芋の煮つけ」

「ありがとう」

そう言いながら、啓吾はカウンターの向こうに立っている慶子を眺め、昨日、美奈が言っていたことを思い出していた。彼女は、ウィスキーばかり置いているこの店に「お客さんが入るのを」、亡くなった父が「恥ずかしがって」「嫌がって」いるのだ、と言っていた。

そう言われて、あらためて観察すれば、なるほどカウンターの佇《たたず》まいに何かしらよそよそしさが漂っているような気がしないでもない。

「どうしたの？　なんだかぼうっとしちゃって」

慶子の不審そうな声に我に返った。

「いや、店のレイアウトとかメニューとか少し変えてみようかと最近考えてるもんだから」

「そうなんだ」

「まだ決めたわけじゃないんだ。ただ、余りに客が少ないもんだからね。このままじゃ首が回らなくなるのも時間の問題だしね」

そこで慶子がやや言いにくそうな表情で訊いてくる。

「でも、改装の資金とか大丈夫なの？」

啓吾としては、美奈のことで頭がいっぱいで、それを気取《けど》られたくないのもあってほんの思いつきを口にしただけだから、そうまともに受けられると逆に戸惑ってしまう。

「たしかにね。金もないからね」

適当に相槌《あいづち》を打つ。

「少しだったら、私も手伝ってあげるから。遠慮しないで言ってちょうだい」

その慶子の親切な台詞に啓吾が複雑な思いを味わっていると、店の電話が鳴ったのだった。

「ほんとうにやるときは、金のことはともかく必ず慶子に相談するよ」

電話はカウンターの中だから、慶子が頷きながら、キャビネットの隅に置かれた子機を取る。

「はい、ブランケットです」

それから彼女は幾分怪訝な表情を見せたあと、啓吾に子機を差し出してきた。

「神代さんって人。女の人」

啓吾は意外な気分で電話機を受け取った。三田の家にたどり着いた頃合ではあるが、美奈がわざわざ連絡してくるとは思ってもみなかったのだ。

「もしもし」

すぐそばの慶子の存在を気にしながら話す。

「もしもし」

美奈の声には精彩がなかった。

「無事に家に戻ったんですね。まだ誰も来てませんか」

松崎治療院の待合室のテレビはずっと観ていたが、神代たち逮捕の報道はなかった。おそらく検察からの発表は夕刊の締切り時間である午後二時を過ぎてからだろう。こうした注目の逮捕劇の場合、できるだけ大きく報道させるために、翌日の朝刊を狙って記者会見を開くのが法務・検察の常套手段なのだ。

「それが……」

美奈は聞き取れないほどの声になっていた。

「どうしたんですか。神代に何かあったんですか」

つい啓吾はよからぬ想像をしてしまいそうになる。

「そうじゃなくて、私、まだ福岡にいるんです」

予想外の言葉に絶句した。

「私、いま病院なんです。あれから空港に行って、空港のエスカレーターで足を踏み外してしまって、右の足首を骨折して、それでいま病院なんです」

さすがにしょげ返ったような口ぶりだった。

「えー」

啓吾は思わず大声を上げていた。カウンターの向こうの慶子がぎょっとした顔を作っている。

「で、怪我の具合はどの程度なんですか？　折ったのは足首だけですか？　頭を打ったりはしてませんか？　骨折は単純ですか複雑ですか？」

本人が電話してきているのだからさほど深刻な怪我ではないだろう、と思いながらも、やはり骨折と聞けば心配になってくる。

「右足の骨折だけです。お医者さんの話では、今日と明日は様子を見て、明後日金曜日に手術だそうです」

「じゃあ、美奈さん、入院したんですね」

「はい」

「ところで病院はどこですか」

思いもかけない話に驚いて、肝心なことを訊き忘れていた。

「東福岡総合病院という病院です」

福岡空港の近くにある大規模医療施設だった。まあ、あそこなら技量に問題はないだろうと安心する。

「痛みはどうですか？」

「病院に来るまでは凄く痛かったんですけど、いまは痛み止めを打って、足首も固定してもらってるので大したことありません。ただ、こんな急なことになってしまって、連絡しようかどうか迷ったんですけど、やっぱりどうしても啓吾さんにお願いしたいことがあって、それで電話したんです」

「連絡するもしないも、足を固定しているのなら歩けないんじゃないですか」

「手術までは余り動かないように先生からは言われてますけど、トイレなんかには松葉杖か車椅子を使って自分で行っていいそうです。この電話は、隣の人が不在なんでベッドから携帯でかけてるんですけど」

「分かりました。とにかくこれから病院に向かいます。詳しいことは会ってからにしましょう。病室の号数を教えてください」

「南棟三階の３１０７号室です。すみません、とんでもないことになってしまって」

「じゃあ、すぐに出ますから、のちほど」

啓吾が電話を切ろうとしたとき、

「あ、ちょっと待ってください」

美奈が慌てた声を出す。

「私のスーツケースの中に着替えが入ってるので、よかったらスーツケースごと持って来ていただけませんか。荷物になって申し訳ないんですが」

〈どうしてもお願いしたいこと〉というのはそのことだろう。

「もちろん、そうします。ほかに何か必要なものはありますか？」

「いまのところ大丈夫です。要るものは、あとで下の売店に買いに行きますから」

「分かりました」

そう言って啓吾は電話を切った。慶子の手前、他人行儀な物言いに終始したためか、美奈の方も丁寧な口調を崩さなかった。最初に電話口に出たのが慶子だったので彼女も気を回したのかもしれない。

子機を慶子に手渡すと、

「一体、どうしたの」

さっそく訊いてくる。かいつまんで美奈のことを話した。といっても、会社時代の友人の奥さんが、友人が近々逮捕されるということで昨日いきなり相談にやって来て、酒を飲みながら話し込んでいるうちに悪酔いしてしまったので止むなく二階に一晩泊めて、今朝帰したところが、いまの連絡によると……と多少脚色を交えた。

「それだったら、早く行ってあげないと」

慶子も心配気な顔になった。そして、

「私、自分の車で来たから東福岡総合病院まで送って行ってあげるよ」

と言う。

「いいよ。いまからお前、店だろう」

「今日は本社で緊急の店長会議が入ってて、このまま私も空港の方まで行くのよ」

そう言われると、無下《むげ》に断るわけにもいかない。慶子の勤めるシューズ・チェーンの本社は福岡空港の近くだった。

「じゃあ、頼むよ」

そう言って、啓吾は二階に上がり、美奈のスーツケースを抱えて戻ってきた。当然、その巨大な鞄《かばん》に慶子が怪訝そうな顔をする。

「何それ？」

と訊かれ、二階で大急ぎでこしらえた作り話をする。

「その友だちが、家宅捜索に備えて警察に渡したくない経理資料を一切合切この鞄に詰め込んで、俺に預かってもらうようにって奥さんに託したんだ。今回、奥さんが急に訪ねて来たのも、それが大きな目的の一つだった。そして今日の逮捕だろ。まさかこれを持たせて東京に帰すわけにもいかないし、仕方なく引き受けたんだが、彼女がまだ福岡にいるのなら、俺がこんな物騒な物を抱えておく義理はないからね」

美奈に同情したふうだった慶子も、その言葉を耳にして様子を変えた。

「そんな危ない物、啓ちゃん、絶対預かったりしたら駄目だよ。証拠隠しを手伝ったなんて警察に分かったら啓ちゃんまで捕まっちゃうよ。冗談じゃないわよ」

慶子の反応に、あまり上手い嘘ではなかったな、と啓吾は内心反省する。

近くの駐車場に駐《と》めていた車を店の前につけてもらい、リアシートにスーツケースを載せ、啓吾は助手席に座る。慶子の運転で病院に向かった。時刻はちょうど十一時半になるところだった。

「緊急の店長会議って何なの？」

混雑する天神西通りを抜けて、車が国体道路に入ったところで啓吾が訊いた。美奈のことをあれこれ訊かれるのも煩わしいので、自分から話しかけたのだ。

「うちの会社もここのところ売上が落ちてるから、社長もカリカリしてるのよ。それで、店長全員集めてたまに檄を飛ばすわけ」

「それって効果はあるの」

「さあ、どうだろ。最近は客の目も肥えてきて、安い靴が意外に不経済だって分かってきたところもあるし」

「どういうこと」

「だって、靴ってやっぱり少し高くてもいい物を大事に使った方が、結局は安上がりだし、脚や歩きにもいいでしょ。もちろんすぐに汚したり小さくなったりする子供靴とか作業靴なんかは別だけど」

「慶子の店も売上は下がってるのか」

「うちはそこそこかなあ。でも、この一年、伸びてはいないわね」

「じゃあ、お前も会議で絞られたりするの？」

「そりゃあそうよ。幾ら中学の同級生だからって大目に見てくれるわけじゃないもの」

「大変だな」

「そうよ。大変よ。いまからでもこんなオバサン、誰か嫁に貰ってくれる人がいるならいつでも再婚するわよ」

慶子は冗談めかして言うと、一気にスピードを上げた。

「会議は何時から？」

啓吾は話を逸らす。

「一時だよ」

「だったら、そんなに急がなくていいだろ」

「だけど、啓ちゃんのお客さんをあんまり待たせたら悪いでしょ。独りぼっちで知らない町の病院に入院して、きっと心細いと思うよ」

「そうかもしれないいな」

言われて、啓吾は今朝別れたばかりの美奈の顔を思い出す。いまになって、あんなに強引な物言いで追い返すような真似をしなければよかった、と思う。せめて一緒に空港まで付き添っていけばよかった。

三十分ほどで東福岡総合病院の正面玄関に到着した。

啓吾だけが降りてスーツケースをおろす。

「悪かったな」

運転席の慶子に声をかけると、

「何て名前？」

と慶子が言う。啓吾が質問の意味をうまく摑みかねていると、

「その友だちの奥さんの名前は何ていうの」

と重ねる。

「美奈。神代美奈というんだ」

「そう」

慶子はただ頷き、

「日曜は晩御飯食べに来られる？」

と訊いてくる。

「ああ。たぶん大丈夫だ」

「美樹も楽しみにしてるから。待ってる」

慶子はそう言って笑みを浮かべ、車を発進させた。

ちょうど昼どきともあって病院のロビーは人でごった返していた。まだ外来の時間内だから正面は会計待ちの人々で溢《あふ》れ、各診療科へとつながる通路も患者や昼休みに入った職員たちでいっぱいだった。その人波を掻《か》き分けるようにして「総合案内」のカウンターに近づき、制服姿の職員に南棟三階への行き方を訊ねる。

——カウンターの背後の巨大なエスカレーターで二階に上がり、床面の「南棟」の矢印に従って進むと、この北棟と南棟をつなぐ連絡通路があるから、そこを渡ってすぐのところにあるエレベーターで一階上がれば、

「三階の婦人科病棟に出ます」

と彼女が丁寧に教えてくれた。

啓吾は、右足首の骨折なのに、なぜ美奈が婦人科に入院しているのか不思議に思いながら南棟に向かった。

美奈は想像したよりずっと元気そうだった。

南棟はかなり新しい建物のようで、四人部屋の病室は窓も大きく、実に清潔で広々としている。美奈のベッドは部屋を入って右奥の窓側だった。

一声掛けてから囲ってあるクリーム色のカーテンを開けると、美奈はベッドのヘッドボードに背中を預け、病院支給のライトブルーの入院着姿で座っていた。なるほど伸ばした右足首には分厚く包帯が巻かれ、造り付けのロッカーの前にはスチール製の松葉杖が立てかけてある。

彼女のベッドの隣は空いていて、向かいの二床はともにカーテンが閉じられているから誰かいるのだろう。ちょうど昼食が終わり、入院患者は一休みする時間帯だ。

「電話貰ってさすがに仰天したよ」

啓吾は笑顔を作って話しかけた。

「ほんとうにごめんなさい」

美奈が両掌《りょうて》を合わせて拝むようにする。

「だけど、どうして婦人科に入ったの？」

スーツケースを窓際の隅に置いて、気になっていることを真っ先に訊く。

「急な入院だったから、この病棟しかベッドの空きがなかったみたい。明日か明後日には五階の整形外科に移れるって看護師さんが言ってた」

「そうか……」

多分そういう事情だろうと察していたので啓吾は納得する。

「それにしても、あれから一体何があったの」

電話でのやり取りのときとは違って、こうして二人きり面と向かうとお互いのあいだに親密な雰囲気が自然と醸し出されてくる。

「空港まで行く途中で事故渋滞に引っかかって、着いたときはもうぎりぎりの時間だったの。それで慌ててチェックインして、ＡＮＡのグランドホステスの人が先導してくれて二階の出発ロビーに向かったんだけど、エスカレーターに乗ったところで足を踏み外して、思い切り転んじゃったのよ。最初はまさか足首が折れてるなんて思わなくて、一生懸命立ち上がろうとしたんだけど、右足に体重を乗せると物凄い痛みで、両足で立てないの。それで、ＡＮＡの人たちが担いでくれて事務所まで行って、しばらく事務所のソファで様子を見てたんだけど、そのうち痛みがおさまるどころかどんどんひどくなってきて、結局、救急車を呼んで貰ってこの病院に運ばれて来たの」

「で、どこの骨が折れてるの。レントゲンは見せて貰った？」

「ええ。この、足首の少し上の細い方の骨がきれいに折れてるの。レントゲンで一目瞭然だった」

言いながら美奈は、包帯で固められた右足首のそのあたりを指先で示してみせる。

「手術って言ってたけど、どんな手術をするの。それにどうして今日すぐにじゃなくて金曜日なんてずいぶん後回しになっちゃったわけ」

啓吾は矢継ぎ早に質問する。

「やっぱり骨がきれいに折れてしまってるから、ボルトを入れて繋がないとまた折れちゃうんだって。手術はこのまま安静にしてればそんなに急がなくてもいいらしいわ。ただ、私がこっちの人間じゃないから、何だったら東京に帰って手術したらどうかってドクターには言われた。それを私の方から、こんな足で東京に戻るのは不安だからこのまま手術してくださいってお願いしたの。術後は二、三日も入院すれば退院できるそうよ」

「だけどボルトを入れるってことは、骨がくっついたらいずれ抜かなきゃいけないんじゃないか」

「そうみたい。大体半年くらいしたらまた開いてボルトを抜くんだって。でも、その手術は別にこの病院でやらなくたって構わないらしいわ」

美奈は淡々と話す。

「いまは全然痛くないの？」

啓吾は気になって訊く。

「こんなふうに動かすとちょっと……」

彼女が右の膝を立ててみせる。

「イタタタ」

眉を顰《しか》めて声を出した。

「おい、むちゃするなよ」

啓吾が思わずたしなめる。

「やっぱり、痛いわ」

美奈は苦笑いしながら言った。

確かにこの状態では、一人で飛行機に乗って東京に戻り、別の病院に再入院して手術というのは現実的ではない、と啓吾も思った。手術まで済ませて帰るという彼女の判断は誤ってはいないだろう。

「じゃあ、ちょっと主治医の先生に挨拶して来るよ。僕からも詳しい話を聞いてみる」

啓吾がそう言って、閉じたカーテンを再び開こうとすると、

「それはやめて。変に勘繰られそうで嫌だから」

美奈が慌てた声で制止してきた。啓吾はその豹変ぶりに若干違和感を感じた。

「ご家族の方が東京から来られるなら、いつでも手術について詳しく説明しますってドクターに言われてるの。私は、夫はいま海外勤務だし、とりあえず誰も来ることはないと思うってさっき話したばかりなのよ。怪我のことは詳しく聞いたからもう全然大丈夫」

美奈は一気にそう言って、

「ごめんなさい。でも、ありがとう」

としおらしい口調でつけ加えた。

ちょうどそのとき、看護師がカーテンを開けて入ってきた。啓吾は若い彼女と目が合って軽く会釈をする。

「神代さん、まだしばらく横になってた方がいいですよ」

看護師は柔らかな口ぶりで言い、美奈に体温計を差し出した。

「すみません」

美奈はちょっと舌を出して、それから、

「そうそう、私、鶏肉がちょっと駄目なんだけど、わがままかなあ」

といかにも親しげに彼女に話しかけた。長い髪を後ろで縛って顔の全体があらわになった美奈は、怪我で幾分やつれたせいなのか、なおさらに美しい。若い看護師も可愛い顔立ちをしていたが、見比べると美奈がいかに整った容貌の持ち主であるかがあらためて分かるようだった。

「いいですよ。今夜の夕食はもう間に合いませんけど、明日の分からは給食部の方にそう伝えておきますね」

「ごめん、すごい助かる。ありがとう」

二人はすっかり仲良しの風情だ。啓吾は美奈の如才のなさに内心舌を巻く思いで黙っていた。

夫の逮捕を知って自宅に急行するはずが突然の怪我で身動きができなくなり、本来ならば焦燥感に駆られてしかるべきだろうが、目の前の美奈を見ていると、むしろほっとしたような吹っ切れたようなサバサバした印象を受ける。

それどころか、彼女の口からは神代のことも家宅捜索のことも一言も出てこない。

正午を過ぎ、地検に出頭した神代がちょうどこの時間に逮捕されているかもしれないというのに、ロッカーの棚の上のテレビも消えたままだった。

笑顔で看護師と話している美奈を眺めながら、啓吾は小さなため息をついた。

h

美奈の手術は十月二十八日金曜日、午前十一時から行なわれた。

足首のやや上の部分を切開し、折れた腓骨《ひこつ》を金具とボルトで繋ぐというものだが、その程度の手術は当然局部麻酔だろうと早合点していたところ、前日の木曜日、美奈の口から全身麻酔だと知らされて、啓吾は途端に心配になってきた。そこで美奈には内緒で主治医を摑まえ、義理の兄だと名乗って話を聞いたが、彼の説明では「局部でも構わないのですが、ご本人の希望で全麻になったんです」とのことだった。啓吾は病室にとって返し、美奈に再考を促した。が、彼女は啓吾が独断で主治医に会ったことに不貞腐《ふてくさ》れて、「啓吾さんがそんな勝手なことをするなら、私だって意地でも全身麻酔にする」と却って依怙地《いこじ》な態度を見せたのだった。

「全身麻酔はなるべく避けた方がいい。稀にではあるけど今でも麻酔の事故は起きてるし、中にはそれで亡くなってしまう患者さんだっているんだよ」

啓吾は尚も熱心に説得したが、美奈は、

「だって、自分の足が切られてるのを目を開けて見てるなんて、そんな恐ろしいことできるわけないじゃない」

最後は本音剝《む》き出しで言い張って、頑として譲らなかった。

というわけで、手術当日はどうにも気にかかって、啓吾は十時前には美奈の病室を訪ねていたのだった。

ストレッチャーで運ばれていく美奈を手術室の入口まで見送り、病室で帰りを待っていると一時間も経たないうちに彼女は戻ってきた。意識もすっかり回復している。

「だから心配ないって言ったでしょ」

と笑っていた。

それでも啓吾の方は、安堵感で全身の力が一気に抜けたような感じになった。

しばらくして病室にやって来た主治医の説明では、手術はうまくいったので、早ければ二、三日中にも退院できるとのことだった。

「退院したら、もう普通に歩いていいんですか？」

啓吾が訊ねると、

「いや、抜糸が済むまでは松葉杖を使ってもらうしかないですね」

と言う。その抜糸は順調にいけば、一週間後、十一月四日金曜日の予定であるらしい。

「だったら、私、四日までここに入院して、杖なしで歩けるようになってから退院します。松葉杖で外に出るのは不安ですから」

美奈が即決する。

彼女のこうした決断は、実にきっぱりとしている。

昨日、病室を訪ねたとき、前日の神代逮捕について大きく報じた朝刊記事に熱心に目を通していた美奈は、啓吾の気配に顔を上げると、

「私、当分は東京に戻らないことに決めたわ。啓吾さんの家に置いてくれなんてもう言わないけど、どこかアパートでも見つけてしばらくこっちでのんびりする。半年後の再手術も場

合によってはこの病院で受けてもいいと思ってるの」

彼の機先を制するかのようにそう通告してきたのだった。

その断固とした表情と口調に触れて、啓吾はさしたる異論を唱えなかった。彼自身も、半年後云々はともかくも、美奈はしばらく東京に戻らない方がいいだろうと思っていた。彼女が神代のもとに帰る時機を失したのは明らかだったし、加えて、彼女と神代との縁がすでに切れてしまっているのではないか、と今回の怪我を目の当たりにして啓吾は考えを改めざるを得なかったのだ。

それからも啓吾は毎日病院に足を運んだ。

大体、十一時過ぎには病室に顔を出して美奈と一緒にデイルームで昼御飯を食べる。彼女はむろん病院食だが、啓吾は途中で買ってきた弁当やパンだった。

三十日の日曜日、慶子の家に晩御飯を食べに行くと約束をした日は、朝早くから美奈を見舞って、上天気だったこともあり彼女を乗せた車椅子を押して病院からさほど遠くない東平尾公園まで足を延ばした。途中のコンビニで美奈にとっては念願のコンビニ弁当を買い、博多の森陸上競技場のサブトラックの芝生に二人して腰を下ろして弁当を食べた。

美奈の足は、手術当日と翌日はかなり痛んだようだが、三日目のこの日はもうほとんど痛みもなくなっていた。

「結構いけるね」

と言い合いながら弁当を平らげ、啓吾がポットに詰めてきたコーヒーをリュックから取り出す。

「啓吾さんってマメな人だとは思ってたけど、想像以上上ね」

ポットと共に一個ずつハンカチに包んだカップを出してみせると、さすがに美奈も感じ入った声でそう言った。

「実は僕自身も昔から俺ってマメな男だよなあ、ってずっと思ってたんだ。だから客商売をやったら絶対成功するって確信してた。うちの親父はあの大名の店で米屋をやってたけど、頑固者で通ってたから、もし俺が商売を引き継いだらもっと店を繁盛させられるのにって子供の頃からいつも思ってたよ。ところが、実際に自分で始めてみたらとんでもなかった」

カップに熱々のコーヒーを注ぎ、それを彼女に手渡しながら啓吾が言う。

「そんなことないわよ。客商売はどんな業種でも、やっぱり来てくれたお客さんに対してどれだけ一生懸命になれるかで全部決まるんだと思うよ。だから、もし啓吾さんの店がいま一つなんだとしたら、自分のそういうマメさを十分に仕事で発揮してないからじゃないの」

「そうかなあ」

「そうよ。若い頃からの私の親友で、いまは青山で子供服のブランドを起《た》ち上げて大成功してる人がいるんだけど、彼女の話を聞いたり、仕事ぶりを見てるとほんとにそうだって思うもの」

「へぇー。それって何てブランド?」

ファッション関係のこととなるとやはり好奇心が湧く。美奈がコーヒーを一口すすってから、

「啓吾さんは知らないかもしれないけど、バッファローっていうブランド」

と言った。

バッファローならば知らぬはずがなかった。高級子供服のブランドとして近年、カリスマ的な人気を得ている会社だ。

「あのバッファローの女性社長が美奈さんの親友なの。びっくりだよ」

その女性なら幾度かテレビや雑誌で顔を見たこともある。

「実はね、バッファローってブランド名を考えたの私なんだよ」

「はあ」

啓吾は思わずまじまじと隣に座った美奈の顔を見つめた。

「彼女、春日玉枝《かすがたまえ》っていうんだけど、私とは中学からの同級生なの。付属だったからそのまま高校、大学まで一緒に上がって、大学時代は専攻も同じ英文科だった。大学二年のときには二人で夏休み丸々一ヵ月かけてアメリカに英語修業に出かけたこともあるわ。といっても、要するに観光旅行そのものだったんだけどね」

美奈の表情は活き活きとしている。こんな楽しそうな顔は初めてだな、と啓吾は感じなが

ら彼女の話に耳を傾ける。

「卒業後は、私は翻訳の道に進んだけど、彼女は学生の頃からデザインの勉強もつづけていて、卒業と同時に自分の店を持ったのよ。まあ、店といっても最初は渋谷の外れのアパートに一室借りて、独りきりで手作りの子供服を売り始めたんだけど」

その三年後、二十四歳のときに美奈の方は友人の紹介で知り合った神代と結婚している。

「で、彼女が最初に付けたブランド名はビヨンドっていうの。ビヨンドって英語だと、何々の向こうとか、何々を越えてって意味だけど、彼女としては、そのビヨンドにビヨーンていうゴムなんかが伸びてグニャグニャした感じを引っ掛けてたのね。というのも、玉ちゃん――私は彼女のことを玉ちゃんって呼んでて、玉ちゃんは私をミー子っていつも呼ぶんだけど――としては、これからの女の子に最も必要なものって何だろうと一生懸命考えて、女の子が大事にしなくちゃいけないものってたくさんあるけど、やっぱり一番身につけて欲しいのは柔軟性だっていう結論に達したらしいのよ。だから、柔軟性を表すビヨーンって言葉を、未来っていう意味もあるビヨンドで表現しようって彼女は思いついたわけ」

「なるほどね」

それにしても柔軟性で「ビヨーン」というのは笑えるな、と思いながら啓吾は言う。しかし、そのビヨンドがどうしてまたバッファローなどという全然違う名前に変更されたのだろうか。

「彼女、それから三年くらいはビヨンドのブランドで子供服を作ってたんだけど、何となくそのブランド名がしっくりこない感じになってきたんだって。というよりインパクトが足りないって思ったらしいの。デザイナーの自分にとっても、その服を買ってくれるお客さんたちにとってもね。それでちょうど私が神代と結婚した直後くらいに、彼女の店——当時はもう青山に小さなお店を出してたんだけど——に遊びに行ったら、『ミー子、何か新しいブランドの名前を考えてよ』って頼まれたの」

「それでバッファローにしたんだ」

啓吾が言うと、美奈がちょっとにんまりした顔で頷く。

「だけど、どうしてバッファローなわけ？」

当然、その理由が知りたい。

「私も、玉ちゃんの発想法に倣《なら》って、これからの女の子のキーワードって何だろうって一週間くらいノートに色々書き出して考えたの。優しさ、思いやり、美しさ、マナー、センス、知性、大胆さ、奥ゆかしさ、余裕、感謝、運、勇気、自立心、素直さ、創造力、語学力、他にもいっぱいあったと思う。それでそういう沢山の言葉の中から、私なりにキーワードになりそうな言葉を五つに絞って、それを持って玉ちゃんのところに話し合いに行ったわけ」

「へぇー。で、その五つのキーワードって何なの。憶えてる？」

美奈の話はなかなか興味深い。啓吾はすかさず問いかけていた。

「もちろんちゃんと憶えてるわ。私が選んだのはね、まず『自信』、それから『行動力』、それから『笑顔』、それから『美しい言葉』、そして最後が『雄々しさ』。で、その一つ一つに対応するブランド名も考えたわけ。自信はセルフ・コンフィデンスで『セルコン』、行動力はそのまま『アクトチャイルド』、笑顔もそのまま『スマイルチャイルド』、美しい言葉は『ビワード』、そして雄々しさが『バッファロー』。私としては『アクトチャイルド』か『バッファロー』がいいと思ってた」

美奈が選んだという五つの言葉には彼女の性格がよく表現されている、と啓吾は感じた。そしてこの五つの中でも、とどのつまりは「雄々しさ」という言葉に行き着いたというのも、いかにも美奈らしい選択のように啓吾には思えた。ただ、こと彼女に関していえば、「雄々しさ」というよりは「大胆さ」という言葉の方がしっくり当てはまるような気がしないでもなかった。

「それでバッファローに決まったってわけか。しかし、雄々しさというのも意外だけど、雄々しさのシンボルがバッファローというのもかなり意外な感じがするね。そもそも女の子の洋服にバッファローなんてブランド名は普通は使わないだろう。結果的には、そのミスマッチが大成功だったんだろうけどね」

啓吾が言うと、美奈は一息でコーヒーを飲み干してからますます愉快そうな目になって彼を見た。

「どうしてバッファローかっていうとね、それも理由があるの。さっき、玉ちゃんと一緒に大学時代にアメリカ旅行に出かけたって言ったでしょ。私たち、アメリカを北から南に縦断したんだけど、途中、ワイオミング州に立ち寄ったときにイエローストーン国立公園の中を半日車でドライブしたの。そしたら、アメリカン・バイソンって向こうでは呼ぶんだけど、野生のバッファローの群れが車のすぐそばまで近づいてきて、凄い迫力だったのよ。私も玉ちゃんも大興奮しちゃって、『雄々しさ』って言葉を頭に浮かべたら真っ先に思い出したのが、そのバッファローの群れだったの。私もバッファローが一押しだったし、玉ちゃんも、これからの女の子の親たちは、こういう雄々しい名前の方が絶対に飛びつくって言って、二人で決めたの。そしたら、それからじわじわ売れだして、この数年ですっかりブレークしちゃったのよね」

「だったらきみの功績は大きいってことだ」

啓吾はその話を聞いて心からそう思った。

だが、美奈はそこで小さく首をすくめてみせた。

「それが、そんなこと全然ないの。何しろ玉ちゃんって人は、学生の頃からとにかくパワフルで、物を売るのも天才的に上手かったのよ。一度、彼女と二人で愛媛のみかん娘っていうのに扮して、着物姿でみかんの試食販売をするバイトを千歳船橋のスーパーでやったことがあったけど、玉ちゃんなんて半日で一五〇〇個のみかんを売り上げて新記録を樹立したのよ。

しかも、用意していたみかんが全部なくなっちゃったから一五〇〇になっただけで、ほんとうならもっともっと売ってたと思うわ。同行してた愛媛農協のおじさんが、こんなにたくさん売ってくれた人はいままで見たことがないって仰天してたもの。玉ちゃんに言わせると、コツは、『ひたすら子供と男に声をかけまくること』らしいんだけど、私が同じようにやってみても彼女の半分も売れないんだもの。バッファローも玉ちゃんだからこそ、あれだけのブランドにできたのよ。玉ちゃんの売り方って、見てたらほんと凄いの。とにかく店に来てくれた子供たちに徹底的に試着をさせるわけ。次から次に何枚でも持って来て、客の時間が許す限り何時間でも服選びに付き合うのよ。彼女に言わせると、いかに子供に嫌がられずに試着してもらうか、が子供服を売る一番の秘訣なんだって。彼女ってね、どんな子供に対しても店に置いてあるその子が似合いそうな服を全部試着させたいって心から思うんだって。そうすれば、誰でも必ず似合う服があるんだって。そして、一度そういう経験をさせてあげられれば、もうその子もその子の親も他の店には絶対に逃げないそうよ。おしゃれに必要なのは、服を選ぶセンスじゃなくて、自分に似合った服を選んでくれる人をいかに探すかだって、いつも玉ちゃんは言うの。センスなんて生まれつきだから、才能がない人がいくら頑張っても無駄なんだって。できないことは最初から人に任せて、自分は自分ができると信じることを一生懸命やった方がずっといいっていうのが彼女の持論なのよ。だから、もし啓吾さんが客商売は得意だって信じているなら、きっとうまくいくはずよ。私も、啓吾さんのマメさを見てると、いまの店があんまり流行ってないなんてどこかおかしいと思う。この前はちょっと変なこと言ってしまったけど、あの場所でずっと啓吾さんのお父さんがお米屋さんをやっていたのなら、やっぱり日本酒もメニューに入れた方がいいわよ。だって、お父さんがお米を売って何十年も生活し、啓吾さんもその収入で育てて貰ったんだから、あそこってもともとお米がよく売れた土地柄だったってことでしょ。だったら、お米そのものは売れなくなったとしても、お米にまつわるものならまだきっと売れるんじゃないかしら。私だったら絶対そう考えて試してみると思うわ」

啓吾は嬉々として喋る美奈の話を黙って聞きながら、彼女に対するこれまでの見方を大幅に改める必要があるのかもしれない、と深く感じていた。神代との単調な結婚生活に退屈し、やがてその退屈が日常となってじわじわと彼女の活力を奪い、ふと気づいてみれば他の女性に気持ちを移した夫にも自身の将来にも何の期待も希望も見いだせなくなってしまった――そんなありきたりな蹉跌《さてつ》に美奈は足元をすくわれたのだろうと思い込んでいたが、それは余りにも表層的な捉え方だったのではないか。

この美奈という女性は、楚々とした外見からは想像できないような熱く漲《みなぎ》るエネルギーを内部に抱えているのかもしれない。そうしたエネルギーを存分に発散し、また活かす道を神代との結婚で閉ざされたがゆえに、彼女はその軛《くびき》を脱し新しい世界へと飛び出そうと試みたのではないか。そして、そこへと共に進んでいくパートナーとして彼女は自分を選んでくれようとしたのではなかったか。

昼餉《ひるげ》時を過ぎて、すこし風が強くなってきていた。目の前のサブトラックでは三十分ほど前から実業団の選手と覚しき人たちが思い思いに練習を始めていた。日本人だけでなく黒人選手たちの姿もちらほら見える。彼らのすらりと細く真っ直ぐな脚は、ほんとうにカモシカのようだ。

「ごめん、何だかべらべら喋り過ぎちゃったね」

美奈が微笑んで、空になったコーヒーカップを啓吾に差し出す。

「風が出てきたし、そろそろ退散するとしようか」

啓吾はカップを再びハンカチでくるみリュックにしまった。先に立ち上がって車椅子のストッパーを確認して、啓吾は美奈の腋に手を入れてゆっくりと立たせる。今朝から松葉杖なしの歩行訓練を始めたらしいが、まだ杖なしだとさすがに痛みが走ると言っていた。車椅子に美奈を座らせ、病院から借りた薄手の毛布を膝にかけてやる。

「私、ここでバッファロー・ショップをやってもいいかなって思ってるの」

車椅子を押しはじめると、不意に彼女が言う。

「神代が会社を辞めた直後にも、玉ちゃんからそういう話はあったの。都内でショップを一軒ミー子に任せるからやってみないかって。でも、神代に相談したらすっごい怒られてしまって」

「どうして」

啓吾は訊く。

「さあ、よく分からないけど」

「博多ってまだバッファローの直営店はないの？」

啓吾はそれ以上穿鑿《せんさく》せずに別の質問をする。

「そうみたい。デパートにはもちろん入ってるけど、直営店はまだだと思う。でも博多だったら一軒あって当たり前だし、退院したら、さっそく玉ちゃんに相談してみようかなって思ってるの」

「本気で？」

「そうよ。そしたら私一人くらい十分食べていけると思うわ」

「まあ、俺の店よりはずっと儲けられるだろうね」

啓吾は冗談めかした口調で返しながら、そうやって美奈がこの街に店を持ったら、それだけで自分の生活はずいぶん変わるだろうな、と思った。三月の地震以降、大名近辺にも幾つか空き店舗が出て、いまだにテナントが決まっていない物件もある。相場も地震前に比較すればずいぶん安くなっている。バッファローの直営店ならば、おおかたあのあたりが立地としては第一候補のはずだ。もしも美奈が近所に店を構えてくれたらきっと楽しい日々になることは請け合いだ。

「それだったら啓吾さんも私に来るなとは言えないでしょ」

だが、啓吾は何も意見は口にしない。四日前に東京地検に逮捕された神代は、検察と拘置所とを往復しながら連日厳しい取り調べを受けているに違いないのだ。

「予定通り四日の金曜日に抜糸できたら土曜日の午前中には退院していいって先生が言ってた。とりあえずどこかホテルに泊まって、急いでアパートでも探すつもり。もし啓吾さんが手伝ってくれればありがたいんだけど」

美奈は啓吾の無反応には頓着しない様子で言う。

「退院してもすぐに街を歩き回るわけにはいかないだろ。といって一人でホテル暮らしも、その足じゃあしばらくは無理だよ。まして何の土地勘もないのにどうやってアパート探しなんてするつもりだよ」

啓吾はわざとぶっきらぼうに言い返す。

「じゃあ、どうすればいいの。そんなこと言うなら、この足で一人で東京に帰るなんて余計に無理ってことでしょ」

啓吾は車椅子のスピードを上げながら、

「当分は俺の家で療養するしかないだろ」

と相手に聞こえるか聞こえないかの小さな声でぼそりと呟いてみせる。

i

車の運転は久しぶりだった。

東京で暮らしているあいだはむろん自家用車を持っていたが、離婚のときに茗荷谷《みょうがだに》の自宅マンションと一緒に塔子に渡してしまった。こちらに戻って来てからは、どこに行くにも便利な場所ということもあり車はほとんど必要なかった。父が配達用にしていた軽トラックを一台慶子が維持してくれていたが、それも駐車場を売却する際に処分してしまった。以来、たまに所用で慶子の赤いボルボを借りることはあるが、それもせいぜい年に二、三度のことで、もちろん遠出に使ったことなどなかった。

それが今日は、助手席に美奈を乗せ、一泊の予定で温泉地に向けてレンタカーを走らせている。考えてみれば、土曜日とはいえブランケットを臨時休業するのも開店以来のことだし、泊まりで旅行に出かけるのも初めてのことだ。

要するに人間などというのは、自分一人ではなかなか変えられない長年の生活習慣も、誰か一人でも深く関わってくる他人と出会うと、あっけないほど簡単に変更してしまえるということだろう。

美奈には昨日、

「明日、退院したら、その足で温泉にでも行かないか。ゆっくりお湯に浸かって傷を癒すのも悪くない」

と藪《やぶ》から棒に持ちかけた。もちろん事前にドクターには相談しておいた。傷口もすっかり塞《ふさ》がっているし、金曜日の抜糸が済めば次の日温泉に行ってもまったく問題ないとのお墨付きを貰っていたのだ。歩行に関しても十一月に入ってすぐから美奈は松葉杖なしでもほぼ支障なく歩けるようになっていた。

美奈は啓吾の誘いに躊躇いの気配も見せずに、

「温泉、すごくいいわね。私、もう何年も行ってない」

と乗ってきたのだった。

支払いを済ませ、松葉杖も返却して病院を出たのは午前十一時半過ぎだった。美奈は見送りにきた主治医に、「ボルトを抜く手術もこちらでやっていただくことになるかもしれませんね」と話していた。主治医の方は別段訝《いぶか》しがる様子でもなく笑顔で頷いていた。

美奈の服装は、オフホワイトのプルオーバーにグレンチェックのブーツカットパンツ、それにサンドベージュのダブルジャケットと地味な取り合わせだったが、頭にかぶったツイードの黒いキャスケットがとても似合って、無事退院を迎えた喜びもあるのか表情は活き活きとし、今日の美しさはまた格段のものが感じられた。十月二十八日の手術からは九日目、二十六日の入院から数えると十一日目の退院だった。

福岡近辺には名湯、秘湯と呼ばれる温泉地がたくさんあるが、やはり美奈の怪我の具合に配慮して近場を選ぶことにした。万が一、泉質が合わずに傷口が悪化でもしたらすぐに東福岡総合病院に連れて行かなくてはならない。

啓吾が決めたのは病院からだと車で一時間程度の距離にある若宮町の脇田温泉だ。彼自身は一度も訪れたことはないが、なかでも犬鳴《いぬなき》川沿いに川を跨《また》いで棟を構える「千水閣」という旅館は名宿として博多では知られた存在だった。十一月一日の火曜日、注文しておいた日本酒を届けに来てくれた河内屋さんに訊ねた折も、真っ先に薦められたのがこの千水閣だった。

河内屋さんが「誰、連れてくの？　コレ」と左手の小指を立てるので、啓吾が黙って頷くと、彼は興味津々の顔で、

「露天まで行くには本館から緩い坂道を二、三分登らないといけないけど、風呂も何種類もあるし、家族風呂もあるし、料理も旨い。あのあたりはそろそろ紅葉も始まってるだろうし、コレ連れていくなら今の時期は最高だと思うよ」

と教えてくれたのだ。

大した近所付き合いもない啓吾だが、それでも美奈がここに長期滞在するとなれば、古い町だから多少の噂は立つに決まっている。それならいっそ最初からあけっぴろげにするのが一番だと考えていた。

キャンペーン期間中というのでレンタル料金が安かったこともあり、啓吾が借りたのはブルーの新型トヨタ・プリウスだ。ハイブリッド・エンジンはともかくカーナビの装備された車に乗るのも初めてだったが、操作性、走行性ともにかつて乗っていた車や慶子の九七年式のボルボと比較して、まったく異質の感触があって、啓吾は一驚せざるを得なかった。わずか数年で車もここまで変化するのか、と改めて時代の流れの速さに目を見張る思いがしたのだ。

今週の日曜日に美奈と出かけた東平尾公園のそばを通り、志免《しめ》町、粕谷《かすや》町、久山町を抜けて若宮町へと向かう。道は山陽新幹線小倉方面の鉄路とほぼ並行して走っていた。ナビのおかげで初めての道でも迷う心配はない。久山と若宮を隔てる犬鳴山の峠には長いトンネルが掘られており、このトンネルを抜ければもう脇田温泉だった。

山裾から山中へと蛇行する道をのぼっていくと、開けた車窓から吹き込んでくる風の冷たさが一気に増した。土曜日の昼時とあって飯塚《いいづか》、直方《のおがた》、中間《なかま》といった筑豊の町々と博多とを結ぶこの峠道はそこそこの数の車が行き交っている。

「だけど、犬鳴峠ってなんだかおどろおどろしい名前ね」

道中、外の景色に見入って口数の少なかった美奈が、不意に言った。

「僕が子供の頃は、福岡や筑豊の人たちが飼いきれなくなった犬を捨てに来て、そのせいで野犬が増えて、この山はえらくぶっそうな所だったんだ」

「だから犬鳴山って言うの」

「いや、それはそんなことないけどね」

啓吾は笑った。

「ただ、もともとそれほど高い山でもないのに天候が変わりやすくて、冬場、このあたりだけは雪が積もって通行止めになったりする。昔から人の近づきにくい山だったことは確かだね」

「へぇー」

それからは、美奈は再び口を噤んでほとんど喋らなかった。山中の木々はすでに色づき始めており、その美しい紅葉の景色に目を奪われたためもあるのだろう。

途中、ドライブインで昼御飯を食べた。啓吾が好物のカツ丼を注文すると、美奈も同じものを頼んだ。美奈が届いたカツ丼をさっそく頬張りながら、

「今日は温泉三昧《ざんまい》だし、夜も長いし、お互いボリュームのあるもので腹ごしらえね」

と無邪気な笑みを浮かべ、このときばかりは啓吾はちょっと困ったような気分になってしまったのだった。

千水閣に到着したのは、ちょうど一時だった。チェックインは二時からだったが、準備はできているとのことで五分ほどロビーで待たされてから部屋に案内された。

犬鳴川に懸かる連絡通路を通って離れ二階の部屋に入った。着物姿の仲居さんが館内の設

備や風呂の場所、夕食と朝食の時間など一通りの説明をしてくれ、啓吾は用意してきた心付けを渡す。ほどなく彼女が退出し、次の間付きの十二畳の和室に美奈と二人きりになった。

美奈は座卓の上に置かれた茶櫃《ちゃびつ》から茶筒、急須、湯呑みを取り出し、急須に茶葉を入れるとやはり卓上にあったポットからお湯を注いでお茶を淹れてくれる。

やや濃いめのお茶は一口すると茶葉の香りが口の中に広がり、何とも言えず旨かった。

美奈も自分の湯呑みを両手で持ち上げて静かにお茶を飲んでいる。

啓吾が茶をすすりながら旅館の分厚い「御利用案内」をぱらぱらめくっていると、

「どうして、急にこんなことしようと思ったの」

美奈が突然のように訊いてきた。彼は顔を上げて彼女を見る。寛いだ穏やかな表情をしていた。

「こんなことって？」

「だから、こうして一緒に温泉に来るってこと」

「さあ、どうしてかな。自分でもよく分からない」

「何それ」

啓吾の台詞に美奈は呆れたような顔になる。

「私が博多に来た日は、あんなに一生懸命に頼んだのに、あなたは取り合おうともしなかったじゃない」

「そういえばそうだったね」

「六年前、羽田までついて行ったときもそうだった」

「たしかに」

「なのに、どうして？」

美奈は若干恨みがましい口調になっている。

啓吾は、幾分いずまいを正して彼女の目をしっかりと見つめた。

「二十六日の朝、きみが僕の家を出て行ったあとで、あることを思い出したんだ」

「あることって？」

美奈が怪訝な表情になる。

「六年前、きみが最後に口にした言葉だよ」

「最後の言葉？」

「そう」

啓吾は呟いて、ひと呼吸あけてから、

――もしも、私があなただったら、こんな私のことを置いていったり絶対にしない。

と諳《そらん》じてみせた。

「そうだったんだ……」

そこで美奈もひとつ吐息をついた。

「ああ」

　啓吾は頷く。

「じゃあ、もしもあなたが私だったら、こうしてほしいって思ったのね」

「そうかもしれない」

「そっか」

　美奈は再び急須にお湯を注ぐと、空になった啓吾の湯呑みを引き寄せた。お茶を淹れなおして湯呑みを戻してきたあと、

「啓吾さんは、私のことが好き？」

　と訊いてくる。

「好きだよ」

　当たり前の口調で啓吾は答えた。

「どのくらい？」

「………」

「ものすごく好き？」

　美奈は悪戯《いたずら》っぽい笑みを浮かべている。

「そうだね。ものすごく好きだ」

「どうして？」

「どうしてって?」

「だから、どうして私のことが好きなの。私のどんなところが好き?」

切れ目なしに質問してくる。彼女もやはり女だなあ、と啓吾は内心で思う。

「別にどんなところと言われても困るよ」

男はそう言うしかないのだ、と思いながら言う。

「何でもいいから、たとえばどんなところ?」

案の定、畳みかけられ、そのときには一つ思い当たっていた。

「たとえば、この前一緒に大濠公園を散歩したとき、僕が『何時頃の飛行機で帰るつもり』だって声をかけたら、きみは僕のことを無視して急に走り出しただろう」

「ええ」

「ああいうところが本当に好きだ」

「へぇー」

美奈の瞳がきらきらと輝いているように見える。

「じゃあ、いつから?」

「いつからって?」

「だから、いつから私のことが好き?」

本質的に男に好きになってもらうのが仕事の女性と、女を好きになるのが仕事の男性とでは思考の道筋が根底から異なってしまうのは当然だ、と啓吾はむかしから考えてきた。人を好きになるにはやはりそれなりの理由が必要だが、好きになられる側に理由など要らない。となれば、好きになられた女性が、そうなった理由について相手の男性に問い質してくるのは至極当然なことなのだ。だから、啓吾は若い頃から、相手の女性からこの種の質問を受けたときは可能なかぎり真摯《しんし》に答えることにしてきた。

「そうだな。ずいぶん前から」

「ずいぶんって？」

「さあ、たぶん初めて二人きりで会ったときからかな。もっとも、そのことに気づけたのは、今回、きみが博多に来てくれたおかげだけど」

「そうなんだ」

「ああ」

「じゃあ、私の勝ちね」

「勝ちって？」

「私の方が先に好きになったってこと」

「そういうことか」

「そう。そういうこと」

美奈は最後に自分に言い聞かせるように言い、ちょっと満足そうな笑みを浮かべた。

小一時間、部屋でのんびりしたあと、美奈も啓吾も本館の男女それぞれの大浴場で温泉にゆっくり浸かった。時間が早かったこともあり、男湯に先客はなく、一時間近く啓吾が入浴しているあいだも誰も入って来なかった。あたたまるだけあたたまって部屋に帰ると、美奈もその直前に戻ったばかりのようだった。女湯の方もがらがらだったと美奈は嬉しそうに言った。

「足の傷口は何ともなかった？」

啓吾が一番に訊ねると、

「全然平気。温泉のおかげで何だか調子が良くなったみたい」

両足を伸ばして座り込んでいた美奈は、右の足を啓吾の目の前で持ち上げてみせる。浴衣の裾が割れて、桜色に染まった白く細い足が太股まであらわになったが、彼女は頓着しているふうもなかった。

「あー、すごく気持ちいい」

美奈はそのまま畳の上に寝ころがり、大きく伸びをする。上目づかいの視線まで艶《なま》めいているように感ずる。

「とてもいい宿ね。啓吾さん、よく来るの？」

応接セットの置かれた広縁の冷蔵庫からビールを一本抜いて啓吾が座敷に戻ってくると、美奈が言った。

「いや、今回が初めてだよ」

座卓の前に陣取って彼は答えた。

「そうなんだ」

「というより、福岡に帰って来てこのかた旅行なんて一度も行ったことないよ」

「えーっ、それ本当？」

美奈が驚いた声を上げて起き上がった。

啓吾は自分のコップにビールを注ぎ、一息で飲み干す。湯上がりの身体に冷たいビールがしみ入って、まるで全身の細胞が蘇るかのようだ。

それを羨ましげに見ている美奈の視線に負けて、

「きみも飲むかい」

啓吾はつい訊いてしまう。冷蔵庫の上にあったコップも自分の分しか持って来ず、今日の美奈はさすがにアルコール厳禁だと考えていたのだが、この一杯を口にできないのは余りに気の毒な気がしたのだ。

美奈がくすぐるような笑みを浮かべて頷いた。

「ま、すこしくらいならいいか」

啓吾は独りごちる。

「大丈夫よ。傷はもうすっかり良くなってるんだから」

たしかに、右のくるぶしのそばを走る縦十センチほどの傷はしっかり固まっているように見えた。

啓吾は立ち上がって、美奈の分のコップを取ってきた。

二杯目は二人で乾杯した。

半分ほど飲み干して、「おいしいね」と言ったあと、

「だけど、どうして旅行くらいしないの？」

コップを持ったまま美奈が言う。

「どうしてかな。やっぱり一人旅じゃつまらないからかな」

「そうなの？　啓吾さんってもともと孤独が好きな人なんでしょ」

「そんなことないよ。誰だって独りぼっちは厭だよ」

「だったら、誰か誘えばいいじゃない。お店のお客さんたちと大勢で出かけたっていいんだし」

「それも面倒だろ。旅の道連れとなれば、よほど親しい相手じゃないとね」

「そうかしら」

「そうだよ」

「じゃあ、この六年のあいだ、啓吾さんには一緒に旅行に行くような親しい人は誰もいなかったってわけ」

「当たり前だろ」

そこで美奈が笑った。

「何よ、まるで自慢するみたいな言い方して」

啓吾もつられて笑ってしまう。

空になった美奈のコップにビールを注ごうとすると、彼女が掌《てのひら》で蓋をした。

「感心だね」

啓吾がからかうと、

「いまは食事のときのために控えておくの」

すました顔で答え、

「でも、そんなんじゃずっとさみしかったでしょ」

と彼女は啓吾をじっと見る。

「まあね。でも、さみしさってやつも何年もつづくと慣れてくるもんだよ。というか、さみしさなんて段々どうでもよくなってくるんだ」

啓吾が気安い口調で答えると、美奈は、

「私はそんなことないと思う」

はっきりと否定した。

「さみしさっていうのは、人間を少しずつ弱らせていく味も色もない毒薬だわ」

「そうかな」

「そうよ」

結局、美奈はコップ一杯だけで切り上げたので、残りは啓吾が飲んだ。たかがビール一本だが、湯上がりだったせいか思いのほか酔いが回った気がした。時刻はやっと四時になったところだ。夕食は午後六時で頼んでいたので、それまでにまだたっぷり二時間近くもあった。

「晩御飯まで時間もあるし、どこか見物にでも行く？」

啓吾が誘うと、美奈は首を振った。

「私は、ここでゆっくりしていたい。せっかくあなたと二人きりなんだし」

それから、

「啓吾さんは退屈？　どこかに行きたいの？」

と訊いてきた。

「いや、そういうわけじゃないけど」

「だったら、このお部屋でのんびりしていましょう」

美奈が言った。

ふと目を覚ますと、明るかった窓の外はすっかり日差しが弱まり、部屋の中は薄暗くなっていた。

頭の下に枕があることを知って、いつの間にかうたた寝してしまったことに啓吾は気がついた。身体には薄い布団も掛かっている。美奈が押入れから出して掛けてくれたのだろう。半身を起こしてその美奈を眼で探す。座卓をあいだに挟んだ向こう側の畳に彼女も布団をかぶって横になっていた。

座卓の上の携帯で時間を確認すると、五時半過ぎだった。一時間半近く眠っていたことになる。その時間経過の感覚がまったくない。啓吾は再び横になり、ぼんやりと天井を眺める。あたりは静かだった。窓の外は一段と暗さを増している。秋の日は釣瓶《つるべ》落《お》としというがなるほどと実感する。眠っている美奈のかすかな寝息が聞こえる。それは規則正しく静穏なものだった。

むかし美奈は言っていた。将来のことを思うと、喉の奥に真綿でも詰まったように息を継げなくなるのだと。そうしてみれば、この安らかな寝息は、現在の彼女のささやかな幸福を証拠立ててくれているのかもしれない。

さみしさは味も色もない毒薬だ——と美奈はさきほど言っていた。たしかにそうなのかもしれない、と啓吾は思った。考えてみれば自分だって、日暮れ前の午後にこんなふうにうたた寝をしたことなど、この六年間ついぞなかった気がする。商売が順調で店の切り盛りに忙しかったわけでも、どうしても誰かのためになさねばならぬことがあったわけでもないのに、それでも自分はいつも何かに追い立てられるような落ち着かない気分で暮らしてきた。

だが、気づいてみると、いまこの時間にはそうした意味不明の焦燥感が自分の心のどこにも巣くっていないのが分かる。

きっと美奈のおかげなのだろう。さらに言えば、美奈にとっての今の静かな眠りは、自分がもたらした安らぎなのだ。

さみしさや孤独が味も色もない毒薬であるならば、こんなふうに些細な縁であっても男と女が共に過ごす時間は、その毒を解毒する特効薬に違いない。

そう思って、啓吾はさらに何かが深く心に響いてくるのを感じた。

この部屋に入ってすぐに、美奈は啓吾にあれこれ質問したあと、

「じゃあ、もしもあなたが私だったら、こうしてほしいって思ったのね」

と言った。

もしも、私があなただったら……。

もしも、あなたが私だったら……。

結局、この二つの言葉は同じなのだ。そして、人が愛する人に何かをするということは、〈もしも、私があなただったら、こうしてほしい〉と願うことをすることでしかないのだ。

だとすれば、あの六年前も、美奈は「もしも自分が藤川啓吾だったら、一緒についてきて

ほしいと願っているはずだ」と信じて、ああいう行動に出たのではなかったか。

そして、何より重要なことは、その美奈の判断は正しかったという点だ。当時の啓吾は美奈の要求をにべもなく突っぱねたが、今になって振り返れば、彼のその拒絶にさしたる根拠はなかった。むしろ彼は、心の奥底では美奈に強引にでもついて来て欲しかったのだ。

心が通い合うとは、要するにそういうことなのかもしれない。

自分が相手のためにしたいと思うことが、そのまま相手が自分に対してそうしたいと願うことと重なるとき、確かにその二人の心は通い合っていると言えるのではないか。

そんなことは当たり前と言えば至極当たり前のことだ。たとえば、「あの人に会いたい」と思うことは、「あの人に会ってほしい」と思うことであり、同時に「あの人に会ってあげたい」と思うことに他ならないのだから。

自分と美奈とはずっと心が通い合っていた。

初めて彼女に会ったときから、自分にはそのことが分かった。だから、彼女から短い手紙を貰ったときも、最初の食事に誘われたときも、自分は割と自然にその事実を受け止めた。さらには自分が会社を去ると決心したときに、どうしても会いたくなった相手が美奈だったのも、互いの心が通じ合っていたのならば当然のことだった。

今回、突然に訪ねて来た美奈と、結局はこうした成り行きになってしまったのも、つまりは六年の歳月が経過していたにもかかわらず、自分と美奈との心がいまだに通い合っているからではないか。

——もしも、俺と彼女との心が本当に通い合っているとしたら……。

すでに闇に覆われた窓の外は、よく見ると川沿いに灯されたライトのせいでほんのりと明るんでいる。

——ここから先は、恐らく俺にも彼女にも何をどうすることもできないのだろう。なぜなら、通い合った心は、もはや俺のものでも彼女のものでもない、まったく別の一つの心なのだろうから。

啓吾はそう思った。

k

仲居さんが料理を運んでくるまで美奈は眠り続けていた。

啓吾が声をかけると、彼女はぱっと目を開き、

「いやだ」

と一声上げて跳ね起きたのだった。が、その拍子に右の足首に体重をかけ過ぎたようで、今度は傷口周辺に走った不意の痛みに呻《うめ》き声を上げていた。

テーブルの上には沢山の料理が並んだ。手渡されたドリンクメニューを開くと、新潟の

「八海山」を見つけたのでさっそく注文した。

「啓吾さんはスコッチ専門だったんじゃないの」

常温で二合ほど、と仲居さんに頼むのを見て、向かいに座った美奈が言う。

「おやじが好きだった酒なんだ」

「そうなの」

そして啓吾はぽつりと付け加えた。

「この酒は、十一月一日からうちの店にも置いてある」

先付の黒胡麻豆腐と蒸しウニに箸をつけていた美奈がびっくりした顔になる。

「じゃあ、日本酒もメニューに入れたのね」

「ああ。きみにあんなふうに言われたら、そうするしかないだろ。といってもたかだか五銘柄だし、八海山以外はいつも世話になってる酒屋の旦那さんにチョイスしてもらったんだけどね。僕には日本酒はチンプンカンプンだから」

「すごーい」

美奈は大げさなほどの満面の笑みを作った。

「それで、どう？　お客さん、増えたんじゃない？」

この話を持ち出せば、必ずこの質問をされるだろう、と啓吾は予想していた。だから今日まで黙ってもいたのだ。

「ねえ、どうだったの」

「そんなこと言われても、何しろ火曜日に置き始めたばかりだよ。火、水、木、金と四日しか経ってないんだ」

啓吾が声を落として言うと、見る間に美奈の顔が落胆の色に染まっていく。

その表情の変化を目に焼き付けながら、啓吾は、

――俺は、この人のことが愛しい。

とふと思う。

美奈の不安げな瞳をじっと見つめ、しばしの間を置いてから啓吾はこう言った。

「それが、どういうわけか初日からお客さんの数がいつもの倍になった。昨日の金曜日なんて普段の三倍以上だった。いまでも信じられないくらいだ」

「えーっ」

美奈の顔つきが再び大きく変化する。

「ほんとうなの。また私をからかってるんじゃないの」

束の間の笑顔のあと、再び心配そうな顔つきに変わる。

「またって何だよ。僕がいつきみをからかった？」

啓吾は尚ももったいぶってみせる。

「だから、そんなことといいじゃない。それよりお客さんが三倍になったっていうのは嘘じゃ

ないの。ほんとうなの？」

「だから、火、水、木は二倍。三倍は昨日だけだよ」

「もう、何でそんな焦《じ》れったい言い方ばかりするのよ」

今度はふくれっ面だ。

啓吾は彼女の反応の目まぐるしい変化が面白くて仕方がない。思わず声を上げて笑ってしまう。

「ごめんごめん。何しろ今夜のとっておきのニュースだからね。だけど、本当なんだ。どうしてこんなことになったのか分からない。まるで狐につままれたってのはこういうことだね。すっかり御無沙汰だった客が取引先の人たちを大勢連れて急にやって来たり、常連だったのに転勤していった人が、また博多に戻ったからって訪ねて来てくれたり。この四日間、びっくりしっぱなしだったよ」

「だったら、どうして昨日とか一昨日教えてくれなかったのよ」

「最初は偶然だろうと思ったんだ。何しろ三日の木曜日が文化の日で祝日だったからね。二日の客が多かったのも休前日のせいかと思った。だけど三日の日も結構来てくれたし、何より昨日のすごい客足で、どうもこれはそんなんじゃないって確信したんだ」

「よかった。おめでとう」

美奈は酒の入ったぐい呑みを目の前に突き出す。

「ありがとう。きみのおかげだよ」

啓吾も自分のぐい呑みを取り上げた。

八海山で乾杯したあと、

「私のおかげなんかじゃないわ」

美奈は真面目な面持ちで言った。

「だったら、うちの親父のお怒りがようやく解けたってことだね」

啓吾は冗談めかした口調で言う。

「というより、日本酒をお店に置いて貰えて、お父さまがすごく喜んでくれたんだと思うわ」

「しかし、不思議な話だね。他人に言っても絶対に信じてもらえないだろう」

「そんなことないわよ。案外、みんななるほどねーって感心すると思うわ」

「そうかな」

「ええ」

それから二合の酒を差しつ差されつでゆっくり楽しみながら、啓吾たちは一時間以上かけて食事を済ませたのだった。

食後のデザートとコーヒーを片づけ、お互いすっかり寛いだ。

美奈が自分の携帯で時間を確かめている。

「いま何時？」

啓吾が訊ねると、

「まだ七時十五分」

「これからどうしようか」

美奈は例の悪戯っぽい瞳で啓吾を見る。

「もうちょっとしたら一緒に家族風呂に入らない？」

「家族風呂？」

啓吾はちょっとたじろいで呟く。

「フロントの人に訊いたら、ここの家族風呂は無料だって。制限時間は五十分。今夜はそれほどお客さんも多くないみたいだし、きっと空いてると思うわ」

啓吾はしばらく何も言わなかった。そして、

「だけどそうは言っても土曜日だし、いまから予約しても無理なんじゃないか」

と渋ってみる。

「でも、試しにフロントに連絡してみたら」

美奈は俄然入りたそうな気配だ。啓吾は半ば義務的に床の間の上に置かれた電話機でフロントを呼び出す。彼の予想に反して、家族風呂は空いていた。いまなら何時からでも大丈夫だという。送話口に掌で蓋をして、

「何時からでも大丈夫だって。どうする？」

美奈に訊く。

「だったら、いまからでもいいじゃない」

啓吾も頷いた。どうせなら思い切っていますぐ入ってしまいたい。しかし、美奈の思わぬ大胆さに幾分呆気に取られる気分ではあった。


狭い脱衣所でさっさと羽織と浴衣、下着を脱ぎ、啓吾はそそくさと先に浴場に入った。そのあいだ鏡の前で髪を上げて器用に結わえている美奈の方はなるだけ見ないようにした。


家族風呂は岩造りで存外立派なものだった。

入口には雪洞《ぼんぼり》が灯り、黒く太い梁《はり》のところどころに小さな釣行灯《つりあんどん》が下がっている。南面の大きな窓は閉じられていた。天井もガラス張りのようで半露天の設計だが、外はもちろん真っ暗闇だ。室内は湯煙と弱い明かりで全体がぼんやりと霞《かす》んでいた。といっても、一緒に湯船に浸かればお互いの裸体ははっきりと見えるだろう。

セックスを一度もしていない相手とこうして一緒に風呂に入るのは、考えてみれば生まれて初めてだと啓吾は思った。

やや温《ぬる》めの湯の中で自分の股間に手をやる。すでにそこそこ元気づいているのが分かる。透明な湯だから、これ以上になったら美奈が入ってきたときに少し照れ臭いな、と啓吾は思う。何か気を逸らした方がいい。

ぐるりと見渡すと、次第に弱光に目が慣れてきたのか浴室の細部が明瞭に見えるようになっていた。岩風呂の中を窓際の方へと移動した。大きな引き違いのガラス窓の向こうは漆黒の闇だ。それでも目を凝らすと竹の繁った藪が見える。

黒い窓枠で囲われた一枚ガラスの窓に、自分の顔がぼんやりと映っていた。

その腑抜けたような顔を見て、

――俺はなんて馬鹿なことをしているのだ。

と思う。

よりによって神代が逮捕されて拘置所に留置されている隙に、その細君とこうして戯れている。これが愚かな行為でなくて何が愚かだと言うのだろう。

だが、それで構わないのだと啓吾はつくづく思った。

愚かであれ何であれ、自分の心と身体はこんなにも弾んでいる。かねてから考えているように、人がその愚かさを精一杯に演ずるのがこの世界での人生の目的であるのならば、神代がいまこそ本物の人生を満喫しているように、自分もまたいまこの瞬間に我が人生を満喫しているのだ。

――そして、結局のところ神代は、おのれの犯した罪をこうして償わされているのだ。

啓吾は、ふとそう思った。

あれは九八年から九九年にかけてのことだった。

九九年より企業会計制度が子会社を含めた連結決算中心に変更されるのを前に、啓吾は九八年三月に突然、明治化成の子会社である明邦毛織というアクリル毛布メーカーに副社長として出向させられた。もともと出遅れていたアクリル事業に明治化成が参入したのは七〇年代の半ばだったが、九〇年代に入ると安価な中国製毛布に市場を奪われ、事業は低迷を続けていた。その事業建て直しのために啓吾は子会社に派遣されたのだが、しかし、実際に明邦毛織に着任して最初に彼が目にしたのは、莫大な量の在庫毛布の山また山だった。

しかも明邦毛織の帳簿を子細に点検してみれば、その債務超過額は着任前に聞かされていた金額を遥かに凌ぎ、何と四百億円を優に超えていたのだ。要するに、明邦毛織は実質的には数年も前から倒産状態だったのである。そんなお荷物子会社が解体整理もされずに温存されてきた真の理由も、彼は赴任後になって初めて知った。

この明邦毛織という会社は、明治化成のアクリル事業を存続させるために利用される、いわばダミー会社と化していたのだ。そのからくりは単純だった。明治化成アクリル事業部はアクリル毛布の原料となるアクリル繊維を大量に明邦毛織に売却していた。しかし、明邦が作ったアクリル毛布は価格競争力を持たないためにまったく売れない。だが、売れない毛布を作っているメーカーが原料を毎年購入できるはずもない。そこで、明治化成はこの子会社製造のアクリル毛布を一旦すべて自身が買い取り、これを別の馴染みの商社に全品売却したことにするのだ。その段階でアクリル事業部には帳簿上の売上が立つわけだが、この商社が引き取った毛布は実はそのまま明邦毛織が全て買い戻していたのだ。そしてその買い戻し資金は、子会社に対する融資という名目で全額を明治化成が支出していたのである。

こうした「飛ばし」は啓吾が明邦毛織の経営を見るようになった時点では、すでに常態化しており、架空の売上は「対策」、不良在庫は「黒玉」という隠語で社員の間で公然と語られている有り様だった。

会計制度の変更を翌年に控えた厳しい状況の中、それでも啓吾は、この明邦毛織の思い切った再建案を本社の監査法人の会計士たちと協力して一年がかりで練り上げた。そしてそれを九八年末に明治化成経営陣に提出し、一度は本社でも承認されたのだった。

ところが、九九年に入ると突然にその再建案は反故《ほご》にされ、逆に彼はこの赤字会社を連結対象から外すように指示を受け、加えて膨大な不良在庫を処理するために、さらなる飛ばしを継続するように川尻社長直々に厳命されたのだった。

いまにして思えば、アクリル事業だけに止まらず、あの時点では明治化成本体の経営そのものが破綻寸前の状態であり、すでに巨額な粉飾決算が川尻社長らの手で行なわれていたのだ。啓吾の提出した再建策など採用されるはずもなかったに違いない。

啓吾はこの川尻社長の指示に従うことは断じてできないと考えた。不良在庫の飛ばし行為はどこのメーカーも善かれ悪しかれ多少は行なっていることだ。しかし、会計方式の転換を目前にして、これほど巨額の在庫隠しを継続するというのは法的にも、企業倫理上もおよそ許されることではなかった。

社長から命令を受けた直後、啓吾は思い余って一度神代にも相談を持ちかけた。これもいまにして思えば、神代は経理部長として社長や副社長と共に粉飾決算に血道をあげていたのだから、相談相手として最も不適格な人物だったわけだ。案の定、あのときの神代は、悩みを打ち明ける啓吾に対して木で鼻を括《くく》ったような態度を見せた。

「藤川、社長命令なんだ。やるしかないだろ」

彼はそう言っただけだ。そして、

「あと一年辛抱すれば、来年には必ず本社に戻れるさ。例の売却話の失敗は別にお前一人のせいってわけじゃない。役員の中にも分かってくれている人はきっといるはずだ」

と啓吾が内心驚くような台詞を彼は口にしたのだ。

啓吾は、この瞬間、自分の明邦毛織への出向が懲罰人事だったことを知った。迂闊《うかつ》な話だが、それまではそんなことは思ってみたこともなかったのだ。それにしても、一体誰が、ホームプロダクツ事業の売却失敗の責任を、単なる交渉窓口の責任者に過ぎなかった自分に押しつけたのか？　神代の前で顔には出さなかったが、彼の腹中に湧き上がった怒りは尋常なものではなかった。

——この男も、そうやって俺に責任を押しつけた人間の一人だ。

啓吾は行きつけの赤坂のバーで、お気に入りのグレンフィディック18年のオンザロックをすすっている目の前の神代のしれっとした面貌を見つめながら、そう直感した。

もうこの会社にしがみついていても仕方がない、と彼が痛切に思い知ったのは、実はその瞬間だったのだ。

神代は結局、最後まで粉飾の事実を啓吾に伝えなかった。それは神代一流の配慮だった可能性も皆無ではないが、やはり彼は親友よりも会社を選んだにすぎない、というのが正解だろう。サラリーマンとしては当たり前の選択だったかもしれない。だが、人間としては間違っていたと啓吾は信ずる。だからこそ、神代はその報いを、さらには妻を裏切り、富永優花や他の女性と情事を重ねつづけた報いを、いまこのような皮肉めいた形で受けているのではないか。そうやってこの世界では、人は必ず自らの行ないの報いを受ける。むしろ、たとえ本人が気づかない形であったとしても自らの過ちの報いをきっと受けるからこそ、人間にはこの世界で愚かなことを繰り返す権利と資格があるのではないか。

啓吾はなかなか来ない美奈を待ちながら、そんなことをつらつら考えていた。

1

十分近くも過ぎて、やっと美奈が浴場に入ってきた。

病室で初めて目にしたときも、長い髪を後ろで縛った美奈はひと際きれいだったが、今夜の彼女は髪を頭頂部でまとめ上げてうなじをすっかりあらわにしていた。容貌は言うまでもなく、細い首筋から肩、背中にかけてのラインはまさに見惚れるほどの艶やかさだった。

その美奈が湯船に背中から身を沈めたかと思うと振り向き、たわわな乳房を惜しげもなく晒しながら啓吾に抱きついてきたのだった。

せっかくおとなしくなっていた啓吾の股間は瞬く間に勢いを取り戻してしまった。

二人は何度かきつく抱き合ってから、身体と身体とのあいだに少しの隙間を作り、顔を見合わせた。

どちらからともなく唇を寄せ、むさぼるように吸い合う。

舌をからめ、溢れる唾液をすすり合いながら、美奈は右手で啓吾のはち切れそうなペニスをしっかりと握る。啓吾も美奈のヴァギナに右手を這《は》わせた。中指を立てて入口から差し込むとすうっと指の付け根まで沈み込んでいく。湯の中でも美奈のそこがたっぷりと潤っているのが分かる。獣じみた口づけを繰り返しつつ、延々とお互いの性器をいじりあった。

その後、啓吾は一旦身体を離すと美奈を抱きかかえた。そのまま岩風呂の比較的平らな縁《へり》に正面を向いて座らせ、彼の顔前でぴったりと閉じられていた二つの膝頭を両腕でこじあけるように大きく開いた。有無を言わせずにその股間に顔を埋める。美奈は呻くような声を上げ、啓吾の後頭部に両手を添えると、思いのほか強い力で彼の頭をぐいと自らの股間に押しつけてくる。鼻先でクリトリスを、尖らせた舌先で無味無臭のヴァギナを、感覚的にはもみくちゃにするような気分で左右上下に刺激しつづけると、美奈が押し殺したような喘ぎ声を連続させ始めた。

ヴァギナからはとろりとした液体がみるみる湧き出してくる。

そうやって行為に熱中しているうちに、いつものことだが啓吾のペニスは幾分柔らかくなってくる。

美奈が唇を噛みしめながら達するのを五回まで確かめてのち、啓吾はようやく股間から顔を離した。今度は身体を入れ替えて、彼が岩風呂の縁に尻を落ち着けた。上体をやや反らせて起立したペニスを美奈の鼻先に突き出すようにする。そのペニスに美奈は間髪容れずにしゃぶりついてきた。

彼女が口を前後するたびに身体の振動で湯面がぴちゃぴちゃと音を立て、一方で彼女の口許からも同じような音が聴こえてくる。巧みな唇と舌の動きに啓吾は尻の穴から臍《へそ》の下にかけて痺れるような快感が幾度も走り抜けるのを感じた。

もうこれ以上は、と思ったところで美奈の口からペニスを抜き、彼は岩場から降りると美奈の肩を摑んで彼女を背中向きにした。そのまま美奈の両手を背後から導いて、風呂の縁に平行に掌をつかせる。さらに爪先立つように命じて、意外に張った白い尻を湯面の上に高く掲げさせた。

そして硬度を増したペニスで美奈の潤みきったヴァギナをひと思いに貫いた。

「うっ」という呻きのあと、「あーん」という鼻にかかった甘ったるい声が狭い浴室全体に響きわたる。

啓吾の方は、これまで頭の中に立ち込めていた靄《もや》が一瞬で晴れたかのような、これまでずっと視界を遮ってきた薄い暗幕が突然切って落とされたかのような、不思議な爽快感を味わっていた。

女性の中に分け入ったのは、離婚前に妻の塔子を最後に抱いて以来、実に六年半ぶりのことだった。

ヴァギナとはこんなにも熱を帯びたものだったのか、と久方ぶりに思い出して、どういうわけか啓吾は感無量の心地となった。

ゆっくりと腰を動かす。そのたびに美奈が堪えきれずに小さな悲鳴を上げる。

どれくらい経過してからだろう、太股の付け根あたりまで浸している湯のせいか次第に啓吾の頭はぼうっとしてきた。肌を粟立たせるような快感と、血が滾《たぎ》り過ぎたような不快感とが身中でないまぜになって、意識が集合場所を見失ったようなあんばいだった。

そのとき、不意に美奈が尻を振って自分からペニスを抜いた。

「ちょっと待って。なんだか私、茹《うだ》っちゃった」

背を向けたまま、肩で浅く息をつきながら言う。

こちらを向いて、

「もう、お部屋に戻らない？」

と抱きついてきた。

啓吾はそれを受け止めて、

「そうしよう。僕も身体が暑くて仕方がない」

と同意する。

美奈が先に風呂から上がった。その裸の背中を追いかけるように啓吾も浴場を出た。

無言のまま急いで互いの身体を拭き合い、浴衣と羽織を身にまとう。

二人とも下着は身につけず、持ってきた旅館の小さな手提げ袋に突っ込んだ。そして、家族風呂から出ると、示し合わせたように小走りで部屋に戻ったのだった。

室内にはすでに布団が二組並べて敷かれていた。

明かりを消すでもなく、啓吾も美奈も我先に帯を解いて素っ裸になる。手前の掛け布団の上に折り重なって、美奈の右足にだけは注意しながら、啓吾は猛り立ったペニスを再び彼女の中に挿入した。美奈の声は、浴場でのそれと比べて驚くほど高く大きくなった。絶叫に近い声を上げ、瞑目したまま顔を歪める彼女を見下ろし、啓吾も目を閉じる。

いま自分が一本の太い杭となって美奈の中心の中心にまっしぐらに突き立っていくのを感じた。

そう感じた直後、激しく動かしていた腰の右脇の筋肉に熱い感触が広がった。まるで熱湯の入った小さな風船玉が筋肉の中で突然に破裂したような、そんな湿感を伴った熱さだった。興奮の極みに達していた意識が、ふと冷却される。

嫌な感じがした。

それでも、ますます熾烈になる美奈の反応に励まされて、啓吾はしばらく腰を動かしつづけた。だが、五分もすると腰の芯に宿った熱の固まりはさらに大きさと熱さとを倍加させ、次第に別の明瞭な形に転化していった。

それは、要するに烈しい痛みだった。

啓吾は、唐突に動きを止めた。背筋を突き抜けるような痛みに襲われ、身体を支えていた両腕の力があっという間に抜けていく。そのままの恰好で彼は美奈の上にのしかかっていくよりなかった。それでも必死の思いで、自分の左足が美奈の右足首に当たらないようにと左太股の関節を大きく開く。その余分な動きがさらなる強烈な痛みを誘発した。

「うーっ」

異様な唸り声を耳にして、意識を半分飛ばしていた美奈も我に返ったようだった。

びっくりした声で、

「啓吾さん、どうしたの？」

と急に覆いかぶさってきた彼に訊く。

啓吾は美奈にしがみつくようにしてしばし無言のまま耐えた。じっとしていると少しずつ痛みが薄らいでいく。

「もしかして、腰?」

男の重い身体が乗っているからか、美奈の声にかすかなビブラートがかかって聞こえる。

「申し訳ない」

啓吾は言う。

「痛いの? ぎっくり腰みたいなもの?」

啓吾はわずかに頭を縦に振る。

「しばらく、このままにしてもらっていいかな」

痛みもあって我ながら情けない声だ。

「それは構わないけど……」

美奈は困惑気味の口ぶりだった。

「重いだろ」

「大丈夫」

「ほんとうに申し訳ない」

「いいわよ、気にしないで」

「寒くないか?」

「全然。それより啓吾さんは」

「背中がすこし」

「じゃ、ちょっと待ってて」

美奈はその体勢のままで、啓吾の背中に回していた右手を動かし、掛け布団の右端を捲《めく》って彼にかけてくれた。さらには左手で左端を同じように捲ってくれる。

「これで寒くない？」

「ありがとう」

それから五分ほど二人とも黙りこくっていた。啓吾は美奈の左頬に自分の左耳を当てるようにして身じろぎ一つせずにただ固まっていた。どうやら腰の焼けるような痛みは消えてくれたようだった。いままでの経験だと、もう五分もすれば少しは身体を動かしても平気だろう。少なくとも美奈の上から降りるくらいはできそうだった。

目をつぶって何も考えずにいた啓吾の耳元で、かすかな吐息がこぼれる。それは吐息というよりは間歇的《かんけつてき》な息継ぎのようだった。美奈の呼吸がつらくなったのか、と啓吾は慌てて首を持ち上げた。その途端、彼女の息づかいが「くっくっく」という声に変わった。

「どうした？」

啓吾が真剣な声で訊ねる。

しばらくその「くっくっく」はおさまらなかった。

「だって」

そこで初めて、美奈が笑っていることに啓吾は気づいた。

「だって、これじゃあ私たち、双子の蓑虫《みのむし》みたいじゃない」

美奈の笑いはさらに大きくなる。そうやって彼女の身体が震動しても啓吾の腰にそれほどの痛みは起こらなかった。

ほっとした気の緩《ゆる》みが、彼の心の隙間に笑いを運んだ。

「これって、俺、最悪にカッコ悪くないか？」

啓吾が言う。

「すごいよ。私もこんなにカッコ悪いことしたの初めて」

「ほんとは重いんだろ」

そこで美奈は身をよじった。

「ごめん、啓吾さんったらすんごい重いよ」

言った途端、噴き出すように彼女は笑い始める。

啓吾も笑いを我慢できなくなる。歯をくいしばって彼は上半身を捩《よ》じり、美奈の左隣に一気に身体を下ろした。

着地した瞬間にやはり腰の中心に焼け火箸を突っ込まれたような痛みが走った。が、啓吾は自分の笑い声でその痛みを何とかやり過ごす。

笑いつづける美奈を右の手で引き寄せた。美奈が泣きそうな声を出しながら啓吾の肩にしがみついてくる。

啓吾もそんな彼女を右腕に抱いて、ずいぶん長いあいだ一緒に笑ったのだった。

翌日曜日の朝になると腰の痛みはだいぶおさまっていた。明け方には何とか一人で手洗いまで歩けるようになったし、朝食が始まる前の二時間ほどはぐっすり眠ることもできた。身動きの取れない啓吾の横で、美奈は一晩中起きてくれていた。腰にそっと手を当てて、長い時間黙々とさすりつづけてくれたのだ。

八時半からの朝御飯は、ちゃんとテーブルについて食べることができた。とはいってもこのまま長時間歩いたり、まして運転をしたりはとてもできない状態ではあった。啓吾は仲居さんに事情を話して、もう一日この部屋に滞在させてもらうことに決めた。彼女は心配げな様子になり、布団を再び敷いてくれたあと帳場に行って沢山の湿布薬を貰って来てくれたりした。

昼過ぎまで二人とも眠り、起きてみるとさらに腰の痛みは軽減していた。

「せっかく温泉旅館にいるんだから、温泉に入ってみたら。腰痛だったらきっと効果があるはずよ」

起き抜けにさっそく美奈に勧められて、啓吾は思い切って湯に浸かってみた。なるほど美奈の言う通りで一度の入浴で格段に痛みは和らいだのだった。

十一月七日月曜日。

朝にはどうやら腰の痛みは引いていた。昨日一日、何度も入浴したのが良かったのかもしれない。温泉の効能に啓吾はあらためて感心させられた。

結局、帰路は美奈が運転してくれることになった。

美奈の右足もペダルを踏むのに問題がないくらい正常になってきたのだという。

「結果的には二泊したおかげで私の足の調子もずいぶん良くなったし、啓吾さんの再発も軽くて済んだし、これってまさに怪我の功名ってことよね」

美奈は旺盛な食欲で朝食を片づけながら、呑気な声で言う。

啓吾はそんな美奈を見ながら、そういえば彼女が友人の店のブランド名を決めるときに選んだキーワードには「自信」、「行動力」、「笑顔」そして「雄々しさ」といったポジティブな言葉ばかりが並んでいたことを思い出した。

「きみの養生のためにせっかく案内したのに、却ってこっちが迷惑をかけてしまって悪かったね」

啓吾は頭を下げた。

「それよりも、啓吾さん、今夜のお店は開けられそう？」

美奈はそんな社交辞令など取り合いもせずに訊いてくる。

「この感じなら、やれると思うよ」

「そっか、よかったー。せっかくお客さんが集まりだしたのに、いま休む手はないもんね。もし啓吾さんが無理なら、私が代わりにカウンターに立とうかとも思ってたの」

啓吾は、内心それも悪くないな、と思う。美奈があの店を手伝ってくれればきっと大繁盛間違いなしだろう。

そうした彼の心中を察したのかどうか、彼女はふと箸を止め、何か思い出したような顔を作って言った。

「あ、それからこのあいだ、退院したらしばらく私を家に置いてくれるって啓吾さん言ってたけど、私もこの感じだったら今日からホテル暮らしを始めても全然大丈夫だから、もうそのことは忘れてもらって構わないわ。その代わり、今週中に何とかアパート見つけたいから御協力をよろしくお願いします」

その屈託のない笑顔に触れて、啓吾は日に日に逞しさを身につけていく美奈に何かしら圧倒されるものを感じていた。

m

神代富士夫が東京拘置所内で倒れ、都内の病院に搬送されたことを知ったのは、十一月十四日月曜日の朝だった。その日、啓吾は午前八時頃に起床して、朝刊をひとわたりざっと眺めていた。すると第二社会面の隅にベタ記事扱いで小さくその事実が報じられていたのだ。

啓吾は慌ててパソコンを起ち上げ、インターネットで他の記事にも当たってみた。彼の購読紙は朝日新聞だが、ヤフーで紹介されていた読売新聞の記事はさらに詳しいものだった。

読売によれば、神代が心臓発作で倒れたのは昨十三日の昼過ぎで、すぐに東京女子医大病院に運ばれたらしい。十月二十六日の逮捕からすでに十九日が経過し、勾留期限まであと一日を残すのみであることから、裁判所は職権によって今日中には彼の保釈の決定を行なうだろう、と記事にはある。容体に関しては、生命に別状はなく現在は安定しているとのことだった。

啓吾は読売の記事をプリントアウトすると、そそくさと外出の支度をして家を出た。

美奈は一昨日の土曜日に新居に引っ越して来たばかりだ。

啓吾の家から歩いて五分足らずの距離にあるその部屋を見つけてきたのは啓吾だった。亡くなった父の親友で、去年までこの界隈を束ねる商店会連合会の会長も務めていた「坂上」の坂上善太郎社長に相談してみたのだ。「坂上」はもともとは戦前から続く油問屋だったが、現在はこの一帯で手広く貸しビル業を営んでいる。啓吾がブランケットを始めるとき、父の遺《のこ》してくれた駐車場を買い取ってくれたのもこの坂上社長だった。そこで脇田温泉から帰った当日に電話で物件探しを依頼すると、翌火曜日には三つばかり手頃な部屋を見つけて社長直々に連絡してきてくれたのである。

その日のうちに啓吾は美奈を連れて紹介された不動産会社を訪ね、三つの部屋を見て回った。

結局、美奈は三件の中で、最も早く入居可能な大名一丁目の1LDKを選択した。

家賃は月額七万円。この周辺の相場からすれば破格の安さと言ってよかった。

即日入居の物件ともあって翌日にはさっそく契約・引き渡しを済ませた。そして金曜までの三日間でカーテンやジュータン、布団、テーブル、エアコン、冷蔵庫、洗濯機、台所用品など必要最低限の物を揃え、土曜の午前中、美奈は天神のビジネスホテルを引き払ってこのマンションに移って来たのだった。

啓吾は昨日の日曜日も昼間は細々《こまごま》とした美奈の買い物に付き合い、夜は彼女が啓吾宅を訪ねてくれて、二人で引っ越し祝いの杯を交わした。午前三時過ぎまで痛飲し、したたかに酔っ払った美奈をマンションの玄関まで送り届けもしたので、啓吾が眠ったのは四時を回った頃合だった。従って、今朝は四時間足らずの睡眠で目を覚ましたのだ。

恐らく美奈はまだ眠っているだろう。もちろん、神代が倒れたことなど知らないに違いない。一刻も早く知らせてやらなければ、と考えながら啓吾は彼女のマンションへと急いだ。

七階建てのレンガ色のマンションの案外に豪華なエントランスをくぐり、オートロックの入口のインターホンで301号室を呼び出す。何度目かにようやく美奈の寝惚《ねぼ》け声が返ってきた。

ドアを開けてくれた美奈に上がり框《かまち》の所で記事のコピーを渡すと、彼女はその短い文面に素早く目を通し、

「どうぞ、入って」

いつもと変わらぬ表情で言った。

十畳ほどの広さのリビングには二人掛けの丸テーブルと椅子が二脚置かれている。キッチンを背中にして美奈が座り、その正面の椅子に啓吾が腰を下ろした。起きぬけだったからか隣の和室とを隔てる扉が開きっ放しになっている。

「神代はいつから心臓が悪かったの？」

啓吾の最初の質問だ。

「心臓なんて悪くなかったわ。いままで一度だって胸が苦しいなんて言ったことないもの」

「だけど、最近の彼のことはきみはよく知らないんだろ」

啓吾が言うと、美奈はやや心外そうな顔をした。

「神代が家に帰らなくなったのはここ二ヵ月くらいのことよ。それまでは少なくとも何ともなかったはずだわ」

「そうか……」

だとすれば、この二ヵ月間の検察の事情聴取、逮捕、それに拘禁のストレスが重なって、

神代の心臓に一気に過大な負荷がかかってしまったのだろう。

「きみはどうする？」

啓吾は訊いた。

美奈はしばらく何かに思いを巡らせるような顔つきで黙っていた。そして、

「放っておくしかないでしょう」

実にぶっきらぼうに言う。

「そういうわけにもいかないだろう。曲がりなりにも夫が倒れて入院したんだ。妻のきみが知らぬ存ぜぬで通るはずがない」

啓吾は、美奈の素っ気ない反応にわずかながら憤りすら覚える。

「だけど、いまさら私が彼のもとに帰って、一体何をどうすればいいっていうの？」

まるで開き直るかのような物言いだった。

「何をどうするかは、彼の容体を確かめてから決めることだろう。いまは、とにかく一刻も早く彼のそばに駆けつけるのが先決なんじゃないのか」

「何、それ」

美奈は逆に呆れたような目で啓吾を見る。

「あなたは、まだ私に神代のもとへ帰って欲しいわけ。それって本気で言ってるの？」

持ち前の気の強さが露出して、その舌鋒は鋭い。啓吾が思わず言葉に詰まると、美奈は真

新しい布団が敷かれたままの殺風景な隣の部屋に目をやって、

「私ももう四十三歳よ。何もこんなことおままごと気分でやっているわけじゃないわ。私だって死に物狂いなの。もしも自分が生きなおすことができるとしたら、これが最後のチャンスだってよく分かってる。神代が倒れたからって、それでせっかく歩き始めた道を捨てて引き返すことはできない。彼には富永優花がついている。彼の生命を守るのは私の仕事じゃない。それはもう彼女の仕事なのよ」

と言った。

「しかし、神代と富永優花がそこまでの関係かどうかだって確証はないだろ。それにいままでも二人がまだ続いているのかどうかも分からない。もしも、神代に誰も手を差し伸べる人間がいなかったとしたら、きみはどうするつもりなんだ」

「二人がいまでも続いているのは間違いないわ。神代や彼の弁護士が私のもとに一切連絡を寄越さないのがその証拠よ。神代みたいな男がこれほどの目にあって女なしで耐えられるわけがないし、女の方だって、もしも愛しているのなら、そんな男をいま見捨てたりは金輪際しないわ。だから私には最初から、彼を放っておく以外に選択肢はないのよ」

美奈の言葉にはそれなりの説得力があった。たしかに神代のこれまでの美奈への仕打ちがその通りならば、彼女の言い分ももっともではある。やはり、これが神代が受けるべき当然の報いということか。

ただ、そうやって長年連れ添った夫を切って捨てる構えの美奈に、それ相応の権利と資格が果してあるのかどうか、現在の啓吾には甚《はなは》だ疑問に感じられる。神代が美奈を裏切ってきたように美奈もまた夫を裏切ってきたのだ。そして、美奈はこの自分のことも体よく利用しているだけなのかもしれない。先日、慶子から聞かされた話で、美奈へと大きく傾きかけていた彼の気持ちがかなりの修正を余儀なくされたのは事実だった。

しかし、この世界では互いに裏切りつづける者同士こそが、罪のなすり合いをするかのようにそれぞれの罪の報いをも与え合うものなのだろう。そもそも裏切るという行為自体がその相手への報復でもある。もっと大きく広げて考えれば、誰か特定の人間を信じるという行為でさえも、他の多くの人々への不信を土台として初めて成立するものなのかもしれない。疑うことも、憎むことも、信ずることも、愛することも、所詮は一枚の布地の裏表であり、人間というのは、強い風にはためく薄っぺらな布切れのようにそうした愛憎を風に吹かれるままに周囲に撒き散らし、それでかりそめの満足を得たり、死にたいほどの苦しみを味わったりする。だが、そうやって自分を翻弄《ほんろう》しつづける当の風の存在や、その風を吹かせている更に深遠で巨大な存在に対しては、不思議なほどに無頓着だったりするのだ。

誰かと関わりを持つというのは、相手と繋がった瞬間にその相手を裏切り始めることでしかないのかもしれない。人と人との関係とは本質的にそういうものなのだ。裏切りのない愛もなく、愛のない裏切りも恐らくない。つまりは、いつの時代も恋人や家族との関係は、人間にとって最大の生き甲斐であると同時に最大の苦痛の種でもあるのだ。だからこそ、人の不幸のほとんどすべてが愛すべき人や愛すべき家族たちとのあいだに生まれてくるのだろう。

啓吾は美奈の話を聞いたあと、しばらく黙ったままでいた。

決心を固めて、彼は言った。

「きみの気持ちはよく分かった。もう何も言わない。その代わり、俺が神代に会いに行ってくるよ」

美奈は束の間びっくりするような顔を作ったが、

「腰はもう大丈夫なの？」

と、彼が夫に会いに行くこと自体には反対する気配もなく、そんなことを訊ねてきたのだった。

「ああ、何とかね」

実は、温泉から戻った翌日には啓吾の腰の具合はすっかり回復していたが、慶子の話もあって彼はここ数日、美奈と同衾《どうきん》しない言い訳に腰痛を利用してきたのだった。

「東京に行けば、富永優花にも会うことになるのね」

「おそらくね」

「神代にも彼女にも、あなたと私とのことは言うのね」

「たぶん」

「分かった」

美奈はきっぱりと言った。

「全部、あなたに任せる。私はもう二度と東京に戻るつもりはないの」

この美奈の言葉はきっと偽りではないだろう、と啓吾は思う。実際、昨夜の彼女の話では、バッファロー社長の春日玉枝が、さっそく今週中に来博の予定であるらしかった。美奈は本気でバッファローの直営店をこの博多で開くつもりのようだ。

啓吾は明朝一番の便で東京に出向くことに決めて、美奈の部屋をあとにした。

念のため神代の新しい携帯の番号、それに美奈がひそかに夫の携帯から写し取ったという富永優花の携帯の番号も啓吾は教えてもらった。ただ、心臓発作で女子医大に入院している神代本人とは、よほど病状が深刻でない限り、すぐに面会は可能だろう。

相変わらずブランケットの客足は増えつづけている。店はにわかに忙しくなってきていた。ようやく軌道に乗りつつある店をいまここで長く休むことはできない。できれば一日、二日で神代とのやり取りは片づけてしまいたかった。

啓吾自身も神代と会って、一体何を話すのか、また何のために会うのかはっきりしているわけではない。ただ、美奈が帰らないと宣言している以上、その美奈を預かっている自分が神代のところへ出向くのは当然のことだ、と彼は考えたのだ。

美奈の方も、さきほどの反応を見る限り、自分が啓吾だったら自分の代わりに夫のもとへ決着をつけに行くはずだ、とかねてから思っていたのではないか。だからこそあんなにすんなりと啓吾の上京を認めもしたのだろう。それどころか、彼女は別れ際に、

「滞在が延びるようだったら、ブランケットは私が代わりに開けるから、そのときは遠慮しないで言ってね」

とさえ言ったのだった。

啓吾は家に戻ると、すぐに一階に降りて店の掃除を始めた。時刻は九時を回ったところだ。午後にでも旅行代理店に行って明日の飛行機のチケットを手配し、ついでにホテルも予約して貰わなくてはならない。

慶子に連絡して、今日は突出しが必要のないことを告げた。とうに準備ができている時刻に断るのはむしろ気の毒だったが、明日から二、三日上京することを一応伝えておきたかったのだ。上京の理由は、例の友人が急に倒れてしまったからだ、とありのままに話した。

「せっかくお店が流行ってきたのに……」

慶子も美奈同様、店のことを気にしていた。

「顔だけ見たら、すぐに戻って来るよ」

と啓吾は言う。

「だけど、あの美奈さんって奥さんもつくづく災難続きね」

別に同情したふうもなく慶子は言った。

「まあ、人間そういうときもあるものさ」

啓吾は適当に受け流して電話を切ったのだった。

慶子には、美奈は五日の日に退院して、そのまま東京に戻ったと説明していた。

美奈が啓吾の家にしばらく滞在するのならば、彼女のことをきちんと慶子に紹介するつもりだったが、結局のところ、彼女はホテルから自分のマンションへと移ったので、二人が鉢合わせすることは一度もなかったのだ。それで、啓吾はとりあえず美奈のことを慶子に打ち明けるのを控えた。先週の月曜日、突出しを持って店に顔を出した慶子から、のっけに美奈に関する驚くような話を聞かされたのも、本当のことが言えなくなった大きな理由ではあった。さらには、先月三十日の日曜日、大橋の慶子のマンションで晩御飯を御馳走になっての帰り、車で大名まで送ってくれた美樹に言われたことも、彼の口を重くさせてしまったのだ。

美樹はブランケットの前で車を駐めると助手席の啓吾に、慶子と結婚してくれないか、と頼んできたのだった。

「お母さんの気持ちは、おじさんもよく分かってるはずでしょ」

二十歳の美樹は地元の短大の二年生で、母親に似てなかなかの美人だった。

「私、お母さんを見ていて感じるんだけど、お母さん、昔からずっとおじさんのことが好きだったんじゃないかなって思うの」

これまで美樹とそんな話をしたことは一度もなかったので、啓吾はちょっとどぎまぎしてしまった。何しろ彼が博多に戻った頃は、彼女はまだ幼さの残る中二の少女でしかなかったのだ。

美樹の言うことは啓吾にも分かり過ぎるくらい分かっていた。慶子の別れた夫は高校の教師をしていたが、七年前、その夫と離婚したことを電話で知らせてきた彼女が口にした台詞を、啓吾はいまでもはっきりと憶えていた。

「でもいいの。十五年も連れ添っておいて言うのも何だけど、あんまり面白い結婚生活じゃなかったもの。まあそれでも、美樹を授かっただけで私は一応満足してるけどね」

慶子は実にさばさばした声でそう言ったのだ。

「お母さんが俺なんかと一緒になりたいなんて思ってるわけないじゃないか。大体、俺とあいつとは従兄妹同士だし、まだあいつだって十分若いし、あんなにきれいなんだ。もし、美樹がお母さんの再婚を認めるっていうのなら、俺なんかよりマシな相手が幾らだっているに決まってるよ」

その場は、一笑に付して啓吾はさっさと車から降りたのだが、あの晩以来、近いうちに慶子に対してきちんとした意思表示をしなくては、と思うようになっていた。だとすれば、美奈の存在を伝える前に慶子と話したいと啓吾は考えているのだった。

店内の掃除をあらかた済ませたときには十一時を過ぎていた。

客の入りが多いとこんなにも店が汚れてしまうのだと啓吾は初めて知った。同時に、たくさんのお客さんが来てくれるのだと思えば、ついつい掃除にも熱が入ってしまう。いままで滅多に使われることもなかったグラスも、最近は大活躍だった。一個一個を磨く作業にしても、かつてない張り合いを感じる。

しかし、そうやって掃除やグラス磨きをしながら、いつも脳裡に浮かんでくるのは、一週間前に慶子から聞いた美奈に関する話だった。あの話を耳にして以来、啓吾は美奈の真意をはかりかねて、ああでもないこうでもないと憶測と推測の堂々巡りを繰り返しているのだ。

慶子が披露してくれた話は、もともとは美樹が福岡空港で働いている友人から聞きつけてきたものだった。慶子は、美奈が入院した当日、啓吾を東福岡総合病院まで車で送ってくれた。で、娘の美樹にその話をしていたところ、美樹がたまたま空港勤務の友達と会う機会があって、その友人から美奈が怪我をしたときの詳しい状況を聞き込んできたのである。

美樹が聞いた話では、あの日、空港のエスカレーターで転んだ女性は、むろん怪我もしていたが、それよりも彼女が転倒の際に流産してしまったために空港中で大騒ぎになったとのことだった。

啓吾はこの新事実を耳にして、文字通り仰天した。すでに承知済みと思い込んでいるふうの慶子の前では動揺した素振りは見せなかったが、内心では、にわかには信じがたい話に茫然自失に近かったのだ。

しかし、慶子が引きあげた後で多少冷静に吟味してみれば、彼女のもたらした情報の正しさを裏付ける傍証は幾つもあった。

初めて病室を訪ねたときにそこが婦人科病棟だったことも、骨折にもかかわらずなぜか手術日が二日後だったことも、さらには啓吾が主治医と面会するのを美奈が極端に嫌ったことも、そういうことならばすんなり納得できる。

だが、一方で浮かび上がってくる疑問も数々あった。

そもそも、美奈がこの博多まで啓吾を訪ねてきたのは、一ヵ月でいいから彼と同棲して妊娠したいと願ったからのはずだ。すでに子供ができていたのなら、なぜわざわざそんなことをしなければならないのか？

それに、仮に妊娠していたのならば、博多に来た晩に彼女はどうしてあれほどの大酒を飲んだりしたのだろうか？　翌日大濠公園を散歩したときに全力疾走したのも、およそ妊婦の取るべき行動とは思えない。

何より最大の疑問は、彼女のお腹の中に宿った子供は一体誰の子だったのか、という点だ。もしも神代の子だったのならば、幾ら彼に愛人がいたとしても、妻の美奈があっさりと子供の父親でもある神代を諦めたりはしないだろう。それに、妊娠したとなれば当然神代の美奈への態度にも変化が期待できるというものだ。

では、なぜ身重の美奈はそれでも啓吾のもとへやって来たのか？

想像できるのは、たとえばこういうストーリーだ。

まず、美奈のお腹の子供の父親は神代ではない。いつぞや彼女が言っていた神代に子種がないという話は真実で、従って彼の子だと偽るわけにもいかない。しかし、彼女は子供のほんとうの父親のもとへも奔《はし》れない何らかの事情を抱えていた。そこで一計を案じ、啓吾のところへ転がり込むことに決めた。そして、妊娠を隠して啓吾と交わり、彼をニセの父親に仕立て上げようと考えた。ホテルで話を切り出したときは、認知も必要ないし、一緒に暮らす必要もないと彼女は言っていたが、それは啓吾を口説き落とすための手管に過ぎなかったのかもしれない。

が、彼女のそんな甘い目論見は啓吾に一蹴される。そこで彼女は自棄《やけ》を起こして酒を浴びるように飲み、翌日には公園で全力疾走もし、最後には空港のエスカレーターで偶然にか故意にか転倒してお腹の子供を流してしまった。

要するに考えを切り換えて、まったく新しく生きなおす決心をしたのだ。

だから、もう啓吾と一緒に暮らす必要もないし、夫の神代が心臓発作で倒れようが頓着などしない。流産を契機に美奈は過去までもすべて洗い流し、本気で再出発するつもりなのではないか。そうでなければ、せっかく身ごもった我が子を失い、夫も家も何もかも失っていながら、ああまで吹っ切れた様子を見せられるはずがない……。

彼女が妊娠していたという事実から推理を重ねていけば、しまいにはこんな筋立てに辿り着いてしまうが、さすがに飛躍に過ぎる印象は否めなかった。

美奈はもう四十三歳だ。たとえ誰が父親であろうと、授かった我が子を自らの意志で葬り去ろうなどとするだろうか。それ以前に、幾ら先行きが不透明であっても、あの芯の強い心の持ち主がお腹の子供に危険が及ぶような無茶をやったりするだろうか。

そう考えると、啓吾はどうにも美奈という人間のことが分からなくなってしまうのだった。

n

前夜も客が立て込み、看板の灯を消したのは午前三時過ぎだ。店内の片づけを終えて二階に上がり、一度はこのまま夜を明かして七時十分発の始発便に乗ろうかとも思ったが、若い頃のように一睡もせずに翌日を乗り切れる体力があるわけでもなく、まして不眠は腰痛にとって大敵なので、出発を遅らせて、最低限の睡眠を確保することに啓吾は方針変更したのだった。

結局、彼は十時発のＡＮＡ２４８便で東京へと飛び立った。

一時間半のフライトのあいだもぐっすり眠れたから、定刻の十一時半に羽田に到着したときには爽快な気分になっていた。

火曜日の昼前だというのに羽田空港の人込みは凄まじかった。福岡空港とは路線数も規模も比較にならないとはいえ、その混雑ぶりの余りの違いに啓吾は愕然とする。

九九年の六月にこの空港から福岡に発って以来、実に六年五ヵ月ぶりの東京だった。

第二ターミナルの到着ロビーを抜けると、地階のモノレール乗り場へ向かう前に、啓吾は携帯で電話を一本入れた。

あらかじめ登録しておいた番号を呼び出して通話ボタンを押す。

かなり長いあいだコール音がつづいて、ようやく電話口に先方が出る。

「もしもし……」

警戒気味の女性の声だった。

「もしもし、富永優花さんですか？　僕はむかし明治化成にいた藤川啓吾です。覚えておられますか？」

「もしもし」の声色だけで相手が富永優花だと啓吾は認識できた。声というのは案外深く人間の記憶に残るものなのだ。

わずかな間合いがあって、

「はい。御無沙汰しております」

さして驚いたふうでもなく落ち着いた口調で優花が返事をする。

その応対ぶりで、神代と優花が付き合っているという美奈の言葉が偽りでなかったことを啓吾は知った。突然の啓吾からの電話に面食らわないのは、彼と神代との親しい間柄について優花が神代本人からかねてより聞き及んでいるためだろう。

「僕はいま羽田に着いたところなんです。神代が拘置所で倒れたのを昨日の新聞で知って、顔だけでも見たいと福岡から駆けつけたんです。突然連絡して申し訳ないけど、彼の容体はどんな具合ですか？」

「ご心配をかけてしまってすみません。私もさっきまで病院にいたんですけど、もうだいぶ元気になってきていて、とりあえず来週くらいには退院できそうです」

「そうですか。それは何よりだ。いま富永さん、仕事中ですよね？」

優花がまだ明治化成に勤めているのかどうかも分からなかった。

「はい。でも大丈夫です」

彼女の口ぶりにはもう警戒の色は皆無だった。神代は自分のことを包み隠さず啓吾に話しているのだ、とおそらく彼女は勘違いしているのだろう。

「もしよかったら、これからお昼でも一緒にどうですか？　神代に会いに行く前に彼の近況も少し聞いておきたいし」

啓吾は久しぶりに左手首に巻いてきた腕時計の文字盤を見つめながら言う。ちょうど十二時になるところだ。彼女の勤務先が相変わらず明治化成ならば、本社のある元赤坂までここから四、五十分はかかる。昼食にはちょっと遅い時間帯かもしれない。こんなことならもっと早い便で来るべきだった、と彼は少し後悔した。

「ごめんなさい。今日は仕事が入っていて昼間は無理なんです。でも、四時くらいには終わりますから、それからでいいなら病院にもご一緒できますが」

「それなら僕も一度ホテルにチェックインして、その足でそちらに行きます。どこで待ち合わせしましょうか？」

どうも彼女の勤務先は明治化成ではなさそうだ、と思いつつ啓吾は言った。たしかに古巣から刑事告発されている旧役員の愛人が、そこでそのまま働き続けるのは難しいに違いない。

「藤川さん、お泊まりはどちらですか？」

「赤坂プリンスです」

「だったら、私がホテルまで行きます。五時に新館フロントの前で待ち合わせでいかがですか」

「わざわざ来ていただいて構いませんか？」

「ええ。いまの勤め先からも赤坂なら近いですし」

「じゃあ、五時にフロントのあたりでお待ちしています。僕の方は、多少老け込みましたが、自分ではそんなに変わっていないつもりです」

啓吾が冗談めかして言うと、

「私も、自分ではそのつもりです」

優花はくすっと笑って言った。

「では、のちほど」

やはり彼女は新しい職場に移ったのだ、と啓吾は思いながら電話を切った。

チェックイン・タイムは午後二時以降だったが、ホテル内のコーヒーハウスで昼食を済ませて一時半頃にフロントに顔を出すと、すぐに部屋に案内してくれた。

部屋は二十八階の赤坂方向に面したツインルームだった。大きな窓いっぱいに晩秋の午後の明るい日差しが射し込んでいる。上空には東京特有の真っ青に冴え渡った日本晴れの空が広がっていた。

ベルボーイが去ったあと、啓吾は窓際に立って眼下に広がる東京の街並みを長いあいだ眺めつづけた。

東京は六年前と較べて大きく様変わりしていた。着陸直前に飛行機の窓から見た湾岸の風景にも圧倒されたが、こうして高い場所から都心を見渡すと、啓吾が暮らしていた頃よりも街全体がはるかに肥大化しているのが一目瞭然だ。

目前の赤坂一帯にもプルデンシャルや山王パークタワーなど、啓吾が明治化成に通っていた時分にはまだ建設されていなかった高層ビルが聳《そび》え立ち、遠く丸の内や品川方面へと目を転じてみれば、やはり見たこともない巨大ビル群が至るところに出現しているのだった。

失われた十年などと呼ばれ、日本経済の凋落《ちょうらく》が喧伝されて久しいが、少なくとも首都・東京だけはその喪失の時代にもこうして着々と巨大化を果たしてきたということか。

右手に目をやると青山通りを挟んだ元赤坂一丁目には明治化成の本社ビルが建っている。

その背後は広大な赤坂御用地の森だった。啓吾が入社して十二年目、一九九一年にこの新本社ビルは完成した。当時は地上二十五階、地下三階のビルは赤坂地区でも一際《ひときわ》威容を誇る建物だった。バブル経済が弾ける直前に着工し、落成したときには日本経済の失速に平仄《ひょうそく》を合わせるかのように明治化成の業績も急降下を始めていたのだったが。

いまや変哲もないオフィスビルにしか見えない明治化成本社を見つめ、それでも啓吾の胸には想像以上に込み上げてくる思いがあった。

丸二十年間の会社暮らしの中で、この本社ビルで過ごした三十四歳から四十二歳までの八年間は、まさに悪戦苦闘の連続だった。毎朝毎晩休みもなく働き、そうやって幾ら頑張ってみても一度傾きだした会社の屋台骨を支えることは叶わなかった。挫折と徒労だけの八年であった。

だが、数年の歳月を経てこうして振り返ってみれば、あの八年は、必死で働くことのできた充実した時間だったような気が啓吾にはした。この手に残るものは何一つなかったが、それでもいまにして思えば、決して悪くない月日だったような気がする。

そして、たとえ長い退却戦だったとはいえ、神代富士夫は啓吾が辞めてのちもさらに五年以上にわたってこの本社ビルに踏みとどまり、覆せぬ劣勢に苛立《いらだ》ちと憤怒、絶望を日々感じながらも懸命に働いたのだ。そう思うと、少なくとも沈みかけた会社からさっさと逃げ出してしまった自分には、彼の責任をどうこう言う資格など一切ないことを痛感させられるのだった。

四時五十五分きっちりに富永優花は、正面玄関をくぐってロビーに入って来た。フロントの近くから入口を見ていた啓吾は、すぐに彼女を見分けることができた。紺のスーツの上にブルーグレーのコートを羽織っている。靴は黒のパンプスでバッグはコートと同系のグレークレアのケリーだった。かなり地味な身なりだが、細身の身体は上背があり、長い脚はすらりと伸びている。向こうもすぐに啓吾を認めたようで、顔を持ち上げて真っ直ぐに歩み寄って来る。彼女は以前にも増して美しくなっているようだった。

簡単な挨拶を済ませたあと、ロビーの隅に設けられた細長いコーヒーラウンジに彼女を誘った。奥のソファ席に向かい合って座る。啓吾はアメリカン、優花はハーブティーを注文した。

こうしてすぐそばから見ると、やはり彼女はどことなく美奈に似ていた。

「藤川さん、全然変わってませんね。びっくりしました」

コートを脱いで隣の椅子の上に置きながら優花は言う。

「きみの方はかなり変わったね」

啓吾のこの台詞に相手は訝しそうな目になる。

「昔も美人だとは思ってたけど、こうして六年ぶりに会ってみると、ますますきれいになっている。こっちこそびっくりしたよ」

　啓吾はさきほど彼女を見て感じたことを素直に伝えた。

「何を言ってるんですか。私、今年でもう大台なんですからね」

「きみにそんなことを言われたら、神代や僕はどうなるんだい。同級生の中には孫を抱いてる連中だっている年齢なんだからね」

「そんなあ」

　優花が笑う。

　そこで啓吾は幾分表情をあらためた。

「今日はきみを呼びつけるような恰好になって悪かったね。それに、きみに前もって謝っておかないといけないこともあるんだ」

　コーヒーとハーブティーが届いたので、啓吾はウェイトレスが去るまで言葉を止めていた。テーブルの上のカップを取り、一口すすってから話を再開する。優花は落ち着いた物腰で彼を見つめていた。

「実は、きみのことは神代から聞いたわけじゃないんだ。彼の奥さんの美奈さんから聞いた。いま彼女は、僕の住んでいる博多に滞在している。先月の末に訪ねてきて、それからいろいろとあって、まだ博多にいるんだ。どうやらもう東京に戻る気はないらしい。神代とも早く別れたいと思っているようだ。で、きみのことは彼女から聞いた。きみの携帯の番号を教えてくれたのも、神代ではなく美奈さんだ。神代とは僕はもう何年も会っていないし、電話で話したのも二年くらい前が最後だった気がする。きみとのことは彼は僕に何も言わなかった。さっきの電話では、きみの誤解を利用するような真似をしてしまって誠に申し訳なかったと思ってる。ただ、神代と会う前にできればきみと話をしておきたかった。美奈さんの言う通り、きみと神代がほんとうに付き合っているのか、さらには現在も続いているのか、それを僕自身がまず確かめておきたかったんだ。だから連絡させてもらった」

優花は啓吾の話に、やはり動揺した気配だった。身体を引き気味にしてずいぶん長いこと黙り込んだままだった。そして、

「藤川さんと奥さんとはどういうご関係なんですか？」

と穏やかな口調で訊ねてきた。彼女にすれば何よりそのことをまず確かめておきたいところだろう、と啓吾も思う。

「僕が東京を去る前、つまり六年前に彼女とは少し付き合っていたんだ。といっても当時は深い関係までいっていたわけじゃない。ただ、その頃からお互いに惹かれ合っていたのは事実だ」

「彼はそのことを知っているんですか？」

「おそらく知らないだろう。むろん断言はできないけれど」

「そうですか……」

「今回、僕が上京して来たのは、美奈さんと僕とのことを神代に話しておこうと思ったからなんだ。ただ、彼の容体もあるから、いまそんな話をしていいものかどうか、そのあたりのこともきみに相談したかった」

「じゃあ、奥さんはいまは藤川さんと一緒に暮らしているんですね」

「いや、一緒に暮らしてるわけじゃない。彼女は最近部屋を借りて、そこに住んでいる。その部屋は僕の家のすぐ近所ではあるんだけどね」

「すみません、もう少しだけ質問してもいいですか？」

優花はハーブティーに口をつけたあと、何だか申し訳なさそうな表情になってそう言った。

「もちろん」

啓吾は笑みを浮かべて頷く。

「藤川さんは、彼にどんなことをお話するつもりなんですか？」

なかなか難しい問いだった。

「それは神代と会ってみないと何とも言えないが、美奈さんがもう彼のもとに戻らないつもりであることは伝えたいと思う。あとは僕の気持ちかな」

「藤川さんの気持ち？」

「そう」

優花が不思議そうな表情になる。

「彼の奥さんを勝手に預かっているんだから、まずは謝罪するしかない。ただ、神代もきみと付き合っているのならあんまりわがままを言える身分じゃないし、彼自身も美奈さんともう一度やり直す気持ちはないんだろうと僕は思ってる。あいつは、そういう男だからね。美奈さんの今後については、僕とのことも含めて未知数な部分もあるけれど、これからは僕に任せてほしいと彼に頼むつもりだ」

「でも、お二人は愛し合っているんでしょう?」

優花はストレートに訊いてきた。

「少なくとも僕は彼女を愛している」

答えながら、美奈の流産の一件が啓吾の脳裡をよぎっていた。

「奥さんの方は、そうじゃないんですか?」

啓吾は言葉に詰まって首を傾《かし》げるしかなかった。優花がますます不思議そうな顔になる。

「どうだろう。僕にはよく分からない」

こんな体たらくのまま神代と会って、ちゃんとした話ができるだろうか、と啓吾はにわかに不安に駆られてくる。しかし、優花はもうそれ以上質問を重ねてはこなかった。

「今度は、僕の方から少し訊いてもいいかな」

言うと、彼女は小さく首を縦に振る。

「きみたちはいつから付き合ってるんだい」

「もう三年になります」

「ということは神代が取締役になってからだね」

「はい。彼が二十四階に部屋を持って、私が担当の秘書になったんです」

「なるほど。で、彼の具合はどうなの。新聞には心臓発作と書いてあったけど」

「軽い心筋梗塞だったみたいです。ただ、幸い発見も手当ても早かったし、梗塞自体も限定的なものだったんで、いまはもうすっかり元気になっています」

「昨日、保釈されたんだよね」

「ええ。取り調べの結果、彼の関与が従属的だったことが分かって、処分保留で釈放されたんです。おそらく検察は彼については不起訴処分にするんだと思います」

「それはよかった」

言いながら、神代が起訴猶予というのは啓吾には意外だった。

「でも、それがそうでもないんです」

するとと優花がにわかに表情を曇らせる。

「どうして」

啓吾はやはり何か裏があるのか、と思いながら訊く。

「彼は自分だけが不起訴になるのが不本意みたいなんです。川尻さんや窪田さんに顔向けできないってずっと悩んでいます。これじゃあ、自分が検察にべらべら喋って、二人に罪を押しつけたみたいだって」

「なるほど」

一応相槌を打ちながらも、啓吾はその神代の言動は額面通りには受け取れないと感じていた。現実には、彼は検察の捜査方針に寄り添った供述を行なったのに違いない。そうでなければ、度重なる事情聴取ののちに逮捕された三人の中で、彼一人だけが起訴を免れるなど考えられない。しかし、厳しい取り調べの過程で、彼がこれまでの態度を翻して粉飾のからくりを包み隠さず暴露し、それが結果的に検察を利して川尻や窪田に公判上の多大な不利益をもたらしたとしても、そんなことは恥ずべきことでも何でもないと啓吾は思った。

神代にしても内心ではきっとそう考えているはずだ。ただ、好きな女に対してはかつての上司を売ったような印象は持たれたくないから、いまは浮かない顔を見せているだけだろう。

経理担当役員として粉飾工作の現場を取り仕切っていたとはいえ、経営責任の重さで見れば、神代とあとの二人とのあいだには雲泥の差がある。川尻や窪田は当時の明治化成にあってまさに独裁者に等しかった。誰も彼らに面と向かって歯向かうことはできなかったし、神代のような一役員など、彼らからすればただの使いっ走りに過ぎなかったろう。二人に比較すれば、たとえ共犯とはいえ、神代の罪など軽微なものでしかない。

「退院したら、彼はどうするの？」

啓吾は質問の方向を変えた。

「そもそも逮捕されるまではきみの家にいたんだろ。美奈さんはおそらくそうだろうって言ってたけど」

とつけ加える。

「退院しても当分は無理できないので、私のマンションに戻ってもらうつもりです。三田の彼の自宅は家宅捜索が入って、中はぐちゃぐちゃだし」

神代は二十歳近くも歳の離れたこんな美しい娘と一緒に暮らしているのか――啓吾は男として一片の妬《ねた》ましさを感じずにはおれない。

「家宅捜索にはきみが立ち会ったの？」

「いえ。一ノ瀬さんが立ち会ってくれました」

一ノ瀬は神代の腹心だった男だ。

「じゃあ、彼も会社を辞めたわけだ」

「はい。いまは外資系の証券会社で働いています」

「優花さんはどこに勤めているの？」

ようやくこれを訊くことができた。

「私は虎ノ門にある政府系のシンクタンクです。理事長の秘書の仕事が見つかったものですから」

「誰かの紹介？」

おそらく神代が探してきたのだろう、と思いつつ訊ねた。しかし、優花は首を横に振った。

「いいえ。求人広告を見ていたら中途採用の募集があったのでダメモトで受けてみたんです。そしたら幸い採用されて」

こうして話せば話すほど、この富永優花という女性には好感が持てる。こんな気立てのいい、しかも飛びきりの美人が、どうして神代などと関係を続けているのか、そこが何とも解《げ》せない気分にもなってくる。

「それは何よりだ。神代の方は去年の暮れに会社を辞めてからは、次の就職先を見つけてたの？」

「いいえ。今年に入ってからはずっと体調も悪かったし、夏頃からは検察の事情聴取が連日つづいて新しい仕事を見つけるどころじゃなかったですから」

それはそうかもしれない、と啓吾は思う。それにしても、以前から体調が悪かったというのはどういうことなのか。

「じゃあ、心臓発作は今回が初めてじゃなかったわけ？」

訊くと、途端に優花が眉根を寄せて心配気な面持ちになった。

「心筋梗塞は初めてだったんですけど、この一月に狭心症の診断は受けていたんです。だからいつもニトロを携行していました。拘置所にも持って行ったはずです」

「そうだったのか」

やはり会社を追われる前後の疲労とショック、ストレスが彼の身体を蝕《むしば》んでいたのだろう。とはいえ、美奈はそんなことは一言も言っていなかった。彼女は知らなかったのか、それともまた隠したのか。

「だけど、奥さんは彼の心臓には何も問題はなかったと言っていたよ」

念のため確認してみる。

「それは、たぶん、彼が奥さんに心配をかけたくなくて黙っていたんだと思います」

「神代本人がそんなふうに言っていたの？」

再度、念を押す。

「いえ……」

優花は困ったような顔をして、

「ただ、奥さんには病気のことは何も話していない、とは言っていました」

「なるほど」

啓吾は小さくため息をついた。そこで言葉を区切ってすっかり冷めてしまったコーヒーをすする。

これで大体の事情は呑み込めた気がした。結局、美奈が見通していたように神代と優花との関係は相当に強固なものであるようだ。実質的には神代の妻は美奈ではなく優花の方だろう。これでは確かに、美奈がいまさら割り込む余地はどこにもあるまい。「放っておくしかないでしょう」と突き放すように言った彼女の判断は正しかったということか。

だが、一生懸命に話してくれている優花の姿を見ながら、啓吾は何かしら割り切れぬものを感じていた。

要するに目の前の優花も、そして啓吾自身も、神代と美奈という互いにわがままで手前勝手な夫婦の尻拭いを体よくさせられているに過ぎないのではないか。

このまま二人は離婚し、神代は優花との暮らしを正式に始め、美奈も博多で啓吾と共に新しい人生に踏み出していく。果たしてそんな見え透いた結末でいいのだろうか。自分はともかく、まだ三十歳になったばかりの若い優花はそれでほんとうに幸せになれるのだろうか。

「これからどうするの？」

そうした思いも込めながら啓吾は訊ねた。

「といいますと」

質問の意味が摑めないふうに優花が聞き返してくる。

「富永さんは、ずっと神代と一緒にやっていくつもりなの？」

優花は何も答えなかった。むろん答える義務もないわけだ。

「もういいんじゃないか」

啓吾は自らに呟くようにそう言った。

その言葉に、優花は俯き加減にしていた顔を上げて彼を見る。

「きみは、もう彼みたいな五十男にかかずらわなくたっていいんじゃないか。神代や僕は先の見えた人間だ。きみのようなまだ三十そこその若い女性が真剣に向き合う価値なんて僕たちにはもうない。もっと違う世界、違う人たちがきみを待っている。そりゃあ、いまの神代を見捨てるなんて辛いだろうし、きみは彼のことが好きなんだろうとは思うよ。だけど、ときには好きな相手と別れる勇気だって長い人生では必要なんじゃないかな。そういう勇気をいまのきみは持つべきだと僕は思う。誤解しないで欲しいんだが、別に僕は彼の奥さんに頼まれて、きみと彼との仲を引き裂くために来たんじゃない。むしろ、奥さんからすれば、きみが神代の面倒を見てくれればもっけの幸いなのかもしれない。しかし、そういう次元とは別のところで、きみはもうあんまり彼と関わる必要がないと僕は思う。彼のために自分の大切な未来を犠牲にする必要なんてこれっぽちもないんだからね」

啓吾が長々と話しているあいだ優花は一瞬たりとも目を逸らすことなく彼の瞳を見つめていた。喋りながら啓吾は、いま自分が口にしていることはほんとうに確かなことだろうかと自問していた。「好きな相手と別れる勇気」——そんな勇気なんてあるのだろうか？　だが、優花はかすかに頷くように彼の言葉を聞いていた。そして、

「もしも、藤川さんが彼だったとしたら、私がいま離れていっても平気ですか？」

と問い返してきたのだった。

「そりゃあ平気なんかじゃないだろうね。だけど、諦めることはできると思うよ」

彼は答える。

「ほんとうですか」

「おそらくね」

「じゃあ、藤川さんが私だったとしたら、彼を見捨てていますぐに別れることができると思いますか」

優花は今度はそう訊いてくる。この問いの方がずっと難しいと啓吾は感じる。

「それはどうだろう」

彼は六年前の自分と美奈とのこと、さらには現在の彼女とのことを考えていた。

「たしかに、そんなふうに言われると難しいね。僕にはできないかもしれない。何だかちぐはぐなことを言って申し訳ないけれど」

その啓吾の答えを聞いて優花は小さな笑みを浮かべた。

「でもありがとうございます。私が藤川さんだったら、私に同じことを忠告したと思うから」

「ほんとに？」

「はい、ほんとです」

啓吾もわずかに笑う。

「彼との今後については、私も少し時間をかけて考えてみるつもりなんです」

優花は静かな口調で言い足したのだった。

o

神代富士夫は思ったよりもずっと元気そうだった。さほどやつれた様子もないし、顔色も悪くない。むろん意気軒昂《けんこう》とまでは見受けられないが、存外いつもの神代という趣《おもむき》であった。

啓吾が一人で病室に入っていくと、彼は驚いたような表情を一瞬見せたが、そのあとは独特の愛嬌のこぼれる笑顔に変わった。

時刻は六時半を回って、もう病院の夕食もとっくに終わっている頃合だ。

結局、優花は同行しなかった。というより、啓吾の方から「今日は神代と二人きりで話したいんだけど」と遠慮を願ったのだ。「分かりました。彼には夜、一度顔を出すつもりだって伝えておいてください」と彼女も快く了解してくれたのだった。

「どうしたんだよ、急に」

パジャマにガウン姿の神代は、読んでいた週刊誌を畳んで枕元に丁寧に置いてからそう言った。リクライニングベッドの背部を立てていたが、背をあずけてはいない。声にも十分の張りがある。部屋は広くはないが個室だった。

「新聞で知って、ちょっと顔だけでもと思ってね。それに少しお前に話しておきたいこともあったからな」

「いつ、こっちに来た？」

「今日の昼だ。ここに来る前に優花さんに会ってきた」

「優花に？」

神代は不審そうな顔になった。

「ああ。連絡先は美奈さんが教えてくれたよ」

「美奈が？」

ますます怪訝な表情になった。

「まあ、その件はあとだ。それより起訴猶予らしいな。まずはよかった」

「何とか首の皮一枚つながったってのが実感だな」

神代は意外にあっさりと啓吾の話に合わせてきた。

「だけど、彼女は心配していたよ。お前が川尻さんたちに顔向けできないと悩んでいるって」

神代はわずかに唇の端を切り上げてみせる。

「そうはいっても、あいつは川尻さんや窪田さんには可愛がってもらってたからな。俺としても手放しで快哉《かいさい》を叫ぶわけにもいかんのさ」

「そういうことだろうとは思ったよ」

「とくに川尻さんはさすがに化粧品事業部出身だけあって秘書たちには絶大な人気があった。あの人は、女のあしらい方だけは抜群にうまかったからな」

「たしかにね」

啓吾も頷く。

こうして話していると、目の前の神代に対して特別の連帯感のようなものが湧いてくる。これは同じ釜の飯を食った男同士でなければ分からない感覚だろう。

「心臓の方はどうなんだ？　狭心症になってたらしいな」

「どうってことないさ。うちは親父も二度ばかり心筋梗塞を起こしてるんだ。それでもまだ八十三で元気に仕事してるよ」

神代は笑顔になる。

「しかし油断しない方がいい」

啓吾が言うと、

「まあ、無理がたたったというか、この二十数年のいろんなツケが一度に回ってきたって感じだな。昔から何事もやりすぎるのはお前の方だと思ってきたが、案外、俺も自分ってものが分かってなかったよ。とにかく自分のことってのは歳を取れば取るほど分からなくなるもんだな。我ながら呆れるくらいだ」

神代はちょっと顔を引き締めて言った。

「お前はやりすぎたんじゃないさ。やらなくてもいいこと、絶対にやっちゃいけないことに手を出してしまったんだよ」

「相変わらず手厳しいな」

彼は苦笑する。

「別に責めてるわけじゃない」

啓吾も含み笑いになる。

そこで神代が、「お前、何か飲むか?」と訊いてくる。啓吾は「いや、いいよ」と答えて、「何か飲みたいのか?」と問い返した。神代が「そこの冷蔵庫にウーロン茶が入ってる。取って貰っていいか」と言う。啓吾はベッドサイドのパイプ椅子に腰掛けていたが、一度立ち上がって椅子を引き、ロッカーの下に造りつけられたミニ冷蔵庫から缶入りウーロン茶を一本取り出して彼に手渡した。神代はそれを開け、音立てて一口うまそうにすすってから、座りなおした啓吾に向かって、

「たしかにこうなってみると、どうしてあそこまでやったのか自分でも不思議な気がするよ。取り調べの最中、担当検事にも『こんなことをして、いつか露顕すると思わなかったんですか?』って真顔で訊かれて、何と答えていいか分からなかった」

と言った。

「で、お前は結局、何て答えたんだ？」

啓吾が先を促す。

「気づいたときにはもう後戻りできない場所にいたんです、って言ったよ。それくらいしか思いつかなかったからな。だが、ほんとはそんなんでもないんだ。役員になって以降は、川尻さんにも窪田さんにも、これ以上の経理操作は無理だと俺は何度も進言した。だけど、そのたびに二人から『お前は、創業百二十年のこの名門企業を自分の手で潰すつもりか？』と言われて目をつぶった。だけど実際は、会社を存続させるには粉飾をやるしかないと俺だって身に沁《し》みて分かっていたんだ。だからやってる最中は罪の意識なんてほとんどなかったし、正直なところいまだってそれほどの罪悪感はない。昔、戦争をやった連中も、きっとこんな感じだったんだろうなって思うくらいだ。お前だって、俺の立場にいたら恐らく同じことをしていたと俺は思うよ」

「いや、俺がお前だったら、あそこまでの粉飾はやってないよ」

「それはそうに決まってるさ。だからお前はあのとき会社を辞めたんだろ。俺が言いたいのは、仮にお前が会社を辞めずにあのまま残っていたらってことだ。むろん、そういうお前なんてどこにもいないし、仮にいたとしたらそれはもうお前なんかじゃないってのは十分に分かってるよ」

神代の言っていることは矛盾していると啓吾は感じる。

「だったら、もしもお前が俺だったら、会社を辞めたりはしなかったってことだよな」

赤坂で飲んだあの夜、「藤川、社長命令なんだ。やるしかないだろ」と言った神代の怜悧《れいり》な表情を啓吾はありありと思い出しながら訊いた。

「それはどうかな」

しかし、彼の返事は予想外だった。

「俺があのときのお前だったら、やっぱり辞めていたんじゃないかな。あそこでもう一年踏ん張ってみても、お前が本社に戻れる可能性はそれほど高くはなかったからな。だったら、明邦みたいなヤバイ会社で火中の栗を拾わされるなんて真っ平御免だよ」

この神代の台詞に、啓吾はいままでずっと心にわだかまっていながら、決して口にしたことのなかった疑問を彼にぶつけてみる気になった。

「一つ、お前に訊いていいか？」

啓吾は、腰掛けていたパイプ椅子を動かしてベッドサイドにさらに近づけた。

「何だ」

神代がわずかに身構える。

「俺は、どうして明邦に飛ばされなくちゃいけなかったんだ。ロスでの交渉の失敗は別に俺の責任なんかじゃなかった。逆に、あの交渉は基本合意寸前まで行っていたんだ。それを突然打ち切ったのは会社の方だ。俺に落ち度はまったくなかった」

だが、啓吾のこの六年越しの問いに対して、神代は何だそんなことか、というような気の抜けた面相になった。

「それはお前が、社内の風を完全に読み間違ったからだ。というより東洋銀行の意向に川尻さんとお前が従わず、ロスの交渉を最後までやり抜こうとしたせいだよ」

驚くようなことを神代はさらりと言う。啓吾には、彼の言葉の意味がいまひとつ摑めない。

「実はあの時期、うちはテイコク化粧品と化粧品事業の売却交渉を水面下で始めていたんだ。お前だってそれについては薄々承知していたはずだ。にもかかわらず、お前のアメリカでの頑張りのせいで、その秘密交渉が駄目になった。そうなった以上、川尻さんもお前の首を窪田さんに差し出すしかなかったわけさ。お前がロスに長期滞在しているあいだに、社内では窪田さんがテイコクとの秘密交渉を取り仕切って実権を握った。川尻さんと窪田さんの立場は完全に逆転してしまっていたんだ。なのにお前は、その川尻さんと組んでテイコクとの交渉を潰した。たしかに化粧品出身の川尻さんが、うちの唯一の稼ぎ頭である化粧品事業をライバルのテイコクに売却したくなかったのは心情的に分かるさ。だが、当時のうちの財務状態を見れば、とてもそんなことを言ってる場合じゃなかった。たとえロスの交渉がまとまってホームプロダクツ事業が売れたとしても、その程度の売却収入ではとても会社を存続させることは不可能だった。何しろ当時すでに、うちの財務は実質的に一千億をはるかに超える債務超過に陥っていたんだからな。だから、ロスの交渉が始まって二ヵ月目に東洋銀行経由でテイコクへの化粧品事業の売却話が持ち上がった時点で、窪田さんや東洋サイドが主張したように、ロスでの交渉の方は新たな売却交渉を有利に運ぶためのあくまでも駆け引きの材料とすべきだった。そうやって片方でホームプロダクツを売る交渉を並行的に進めておけば、化粧品事業の売却額を高値に誘導するには好都合な構図になる。うちの化粧品部門が喉から手が出るほど欲しいテイコクにすれば、必然的に買値を上げてこざるを得ない状況だった。むろん、うちにはホームプロダクツを売るという選択肢なんて実際にはなかったわけだが、そんな詳しい財務状況はさすがにテイコクにも抜けてはいなかったからな。ところが、川尻さんは話が持ち上がった当初から、化粧品事業売却に消極的だった。だからあの人は、ホームプロダクツの売却で何とかその場をしのごうとしたんだ。俺から言わせれば、それは、数字の現実を忘れたまさに経営者失格としか言いようがないミスジャッジだったと思うよ。なのにお前は、その川尻さんの意向に沿って、ロスの交渉を必死にまとめ上げようと奔走した」

そこまで神代は喋ると、手にしていたウーロン茶の缶を口許に運んだ。顔を上に向けて喉を鳴らしながら残りのお茶を一息に飲み干す。その姿はとても病人には見えない。空になった缶をベッドの脚元のゴミ入れに放ると、彼は黙っている啓吾の顔をまるで睥睨《へいげい》するかのように一度見て、再び口を開いた。

「あげくお前は、本社了解もろくに取らないままで基本合意寸前まで突っ走って、その情報がテイコクに洩れてしまった。こいつはテイコク側から見れば、なんだ自分たちの方が当て馬だったのか、と逆鱗《げきりん》に触れる話だろ。それで、うちに対して決定的な不信感を持ってしまって化粧品事業の売却交渉は頓挫《とんざ》し、慌ててうちがロスの方を打ち切って交渉再開を懇願してもう後の祭りだった。川尻さんにすれば、結果的に二つともぽしゃったわけだから、さすがに最悪の事態だったと思うよ。会社の命運もあれで尽きた。結局、あとは粉飾決算を続ける道しか残っていなかったってわけだ。

一度、窪田さんがロスに行ったことがあったろ。交渉開始から四ヵ月くらい経ったときだ。あのとき窪田さんはお前にそのへんの事情も説明して、交渉の引き延ばしを依頼したはずだ。しかし、お前は川尻さんにばかり顔を向けて、窪田さんをネグレクトした。窪田さんは帰国したときカンカンだったよ。あのお前の判断ミスは、お前自身の将来にとっても、またそれ以上に会社の将来にとっても決定的だったと俺は思うね。しかも、そのミスのせいでお前は、当の川尻さんにスケープゴートにされてしまったんだ。たしかに、お前にロスの交渉自体での落ち度なんて一つもなかったさ。だが、あそこでホームプロダクツ部門を売ることができれば会社を何とか維持していけるはずだ、と考えたお前の見通しは完全に甘かったよ。明治化成は、もうあの時点では主力の化粧品事業をテイコクに売却しない限りは社の存立は不可能だった。それが、経理、財務をずっと見てきた窪田さんや俺の判断だったし、その判断が正しかったことは、目下の現実が見事に証明してくれているだろ」

啓吾は神代がいま語る真相に、これまでの疑問がみるみる氷解していくのを感じた。

それにしても、あの時点でテイコクとの化粧品事業売却交渉がそこまで具体的に煮詰まっていたなどとはまさに驚きだった。当時、彼が川尻社長から聞かされていたのは、溜まりに溜まった明治化成に対する債権を一刻も早く回収したい東洋銀行サイドから、今回のロス交渉が失敗した場合は、聖域である化粧品事業の売却も視野に入れざるを得ないとの圧力がかかり、相手先としてテイコク化粧品の名前まで上がっている——というレベルの話でしかなかったのだ。

そして、そういう話が出ているという事実だけでも、啓吾は会社の将来に暗然たる思いを抱いた。主力の化粧品事業を売却してしまえば、会社はまさに有名無実、名前だけの存在になってしまう。不良債権処理に悩み、遮二無二債権回収に血道を上げているメインバンクの都合でそんな勝手なことをさせてたまるものか、と啓吾がロスの地で発奮したのは事実だ。しかし、まさか当時すでに明治化成本体に一千億円を優に超える債務超過が生じており、それを会社が粉飾によって糊塗《こと》しているなどとは、あの頃の啓吾にはまったく思いもよらなかったのだ。

「ロスに来た窪田さんの口からは、テイコクとの交渉がすでに始まっているなんて話はまったく出なかった。彼が言ったのは、ホームプロダクツ事業の売却だけじゃあどうせ会社はもたないんだし、要するに、この交渉は古巣の東洋銀行から新たな融資を引き出すための材料に過ぎないんだから、融資さえ実現できれば交渉の成否なんてどうでもいいってことだけだ。その言いぐさは、現場でぎりぎりの交渉を連日続けている俺やチームのスタッフたちにすれば、まさに、ふざけるなって話だった」

「そりゃあ、お前たちにテイコクとの秘密交渉について具体的に明かすわけにはいかなかったと思うさ。そこは阿吽《あうん》の呼吸で呑み込んでくれって話だったはずだ。あの頃は、川尻さんと窪田さんとのあいだで主導権争いが一番激化してたときだったし、化粧品事業の売却止むなしの基本認識を持つことのできない幹部社員には、窪田さんは本当の手の内は見せられなかったんだ。もしもお前が、あの場でもうすこし彼の話に耳を傾ける姿勢を見せていたら、粉飾のことも含めて、窪田さんはもっと突っ込んだ話をお前にする用意があったんだよ」

「じゃあ、お前は、俺が会社を潰したとでも言いたいのか」

啓吾は神代の余りに一方的な物言いに、思わずそう言ってしまった。

「そんなことは言ってないさ。どのみち明治化成はこうなるしかなかった。テイコクとの交渉にしても、お前が辞めたあと、東洋銀行の仲介でもう一度復活したのは知っての通りだ。だけど組合の猛反発もあって、二度目の交渉も結局はまとまらなかった。ただ、あの最初の秘密交渉が潰れた直後、お前は明邦毛織に出向して、一年がかりで作った再建計画が本社で握り潰されるや否やさっさと会社を辞めちまった。俺からすれば『おい、ここで逃げる気かよ？』って思いがあったのは事実だよ。だからといって、そのあと俺たちがやったことを正当化する気はさらさらないけどね」

神代は淡々とした口調でそう言うと、一つ息をついてベッドの背に身をあずけたのだった。

p

啓吾は神代の言葉に少なからずショックと反発を覚えていた。

そもそもは会社の財務上のデータを一部の経営幹部や神代のような財務畑の人間だけで独占し、社内に正確な情報開示をしなかったことが明治化成破綻の最大の原因であったはずだ。加えて神代は、あの九九年の段階では自分が啓吾の立場にいたとしても辞職していただろうと言う一方で、そうやって現実に辞めた啓吾のことはまるで卑怯者のように言う。たしかに彼自身も内心忸怩《じくじ》たるものがないわけではない。が、こうして当時の内部事情をつぶさに聞いてみれば、テイコク化粧品との秘密交渉にしろ、莫大な債務超過の実態にしろ、どうしてあのときに教えてくれなかったのだ、と啓吾の方こそ目の前の神代を詰《なじ》りたい気分だった。ロスに滞在中はもちろん、啓吾が失意のうちに帰国して、美奈と共に慰労会を開いてくれた晩でさえも、神代は口を噤んで何一つ打ち明けてはくれなかった。人を卑怯者扱いする前に、親友に対する自らの不実をこそ彼は先ず悔い改めるべきではないのか。

啓吾がしばらく黙り込んでいると、

「藤川、まああんまり気を悪くしないでくれ。全部終わってしまったことなんだから」

神代が啓吾の顔を下から覗き込むようにして言った。

その頼りなさそうな笑みを浮かべた顔を見つめ、啓吾は、気持ちを切り換える。誰よりも辛い目にあっているのはこの神代本人なのだ、ということを思い出した。

「気を悪くなんてしてないよ。お前が最後の最後まで必死で頑張ったことは俺が一番よく分かってる」

と啓吾は言った。

「そうは言っても結果はこの通りだからな。刑事の方は幸い不起訴で済んだが、まだ民事の損害賠償請求も残ってる。やっぱり俺は大馬鹿野郎でお前は賢かったんだな。ただ、俺が最近思うのは、正義ってのは悪があって初めて成り立つってことだな。何でもかんでもそんなものだと俺は心から思うようになった。この世界で起きてることは所詮そうやって一から十まで相対的なものでしかない。だから、時代が変われば正義と不正義が簡単に入れ替わったりするんだ。まさにこの世は無常、何一つ確かなものなんてないのさ」

神代のこの台詞には啓吾もかなり共感するところがある。

人間というのは、悪事を働こうとすれば自分が思っている以上の悪を働き、善事を行なおうとすれば、いくら励んでもなかなかそれが真実の善にならない——そんな哀れな生き物であるに違いない。

二人のあいだの空気がようやく和むと、

「ところで、俺に話したいことって何だ？」

再びベッドの背から身体を浮かせて、神代が訊いてきた。

「実は、美奈さんがいま博多に来ているんだ」

啓吾も背筋を伸ばし、神代の大きな瞳を直視しながら言う。

それから十分ばかり、美奈の突然の訪問から今日に至るまでの一部始終を彼は詳しく説明した。ただし、美奈と二人で脇田温泉に出かけたことや彼女が流産したらしいことなどは伏せておいた。

神代は表情を変えることもなく、黙って啓吾の話に耳を傾けていた。

「……とりあえず、そうやって部屋も借りたんだから、彼女は本気で博多に移り住むつもりなんだと思う。もうお前とやり直す気持ちはないようだ。お前が大変な時期に、こんなことになってしまって俺としては誠に相済まないと思っている」

啓吾が面と向かって頭を下げると、そこで神代はちょっと困惑したような顔つきになった。

「ボストンの妹のところへしばらく行ってくると俺には言っていたんだが、そうか、お前のところに転がり込んだってわけか……」

独りごちるようにして、

「しかし、何で今度はお前なんだろうな……」

彼はぽつりと呟く。

その一言に啓吾は耳を留めた。自分の告白に対する神代の反応の淡泊さにどうにも合点がいかぬ心地だったのだ。

「それはどういう意味なんだ？」

むしろ啓吾の方が詰め寄るような口調になっている。

神代は浅いため息をつき、

「これも気を悪くしないで聞いてほしいんだが……」

と前置きしてから語りはじめた。

「この数年、美奈のご乱行にはさすがの俺も呆れていたんだ。まあ、俺は俺で三年前から優花と付き合ってるし、それ以前もお前が知っての通りだし、あれのことをとやかく言う資格はないが、それにしても美奈の場合は、ちょうどお前が会社を辞めた頃から急に始まった男出入りだったからな。一体全体どうなってるんだと俺もかねがね首を捻ってきたわけなんだ。それが、今度はとうとうお前のところにまで押しかけたとなると、いやあ、何と詫びればいいのか言葉が見つからないくらいだ。とにかく、こっちこそお前に迷惑をかけてしまって誠に申し訳ない」

そして今度は彼の方が、深々と啓吾に低頭してみせたのだった。

だが、啓吾はその話を言葉通りには聞いていなかった。もしかしたら神代が、妻に面子《メンツ》を潰された腹いせに口からでまかせを言っているだけかもしれない。

「彼女の相手は分かってるのか？」

啓吾は具体的に訊くことにする。妊娠した状態で来福したことに鑑みれば、美奈に夫以外の別の男性がいた可能性は大きい。しかし、あの美奈が啓吾と別れてからこのかた、度重なる「ご乱行」を繰り返していたとはおよそ思えなかった。

「何人かはな」

が、神代はうんざりした調子ですぐに頷いた。

「何人か？」

啓吾は聞き返す。

「おそらく、五、六人は下らないだろうな。出会い系なんかもやってるかもしらん」

「まさか」

「まさかじゃないさ」

彼の目は真剣だった。

「はっきりしているのは、一人は高校時代の同級生だ。それに、あれが通っていたスポーツクラブのインストラクターとも一時期はできていたな。他にも、通訳をやっていた頃の翻訳会社の社長と縒《よ》りを戻したこともあったんじゃないかな。そいつは、俺と結婚する前にあれが不倫してた相手だけどね」

神代はすらすらと目ぼしい男の素性を明かしていく。およそ彼が作り話をしているとは思えなかった。

想像以上の話の内容に、啓吾はただ啞然としてしまった。

「なのに、どうしてお前たちは離婚しないんだ」

つい、そうした素朴な疑問が口をついて出る。夫は外に愛人をつくり放題、妻も家に男を引き込み放題、まして子供がいるわけでもない。となれば、そんな夫婦が夫婦でありつづける理由などどこを探しても見つからないだろう。

「さあ、どうしてかな。離婚するだけの情熱ももう残ってないってことかもしれんな。美奈の場合は、理由は簡単で、要するに金だろ」

神代はまたまた呆れるようなことを口にする。

「金？」

啓吾が素っ頓狂な声を上げる。

「ああ。あいつは俺の親父が死ぬのをじっと待ってるんだと俺は見てる。お袋はとっくに死んでるし、親父が死ねば、一人息子の俺にはかなりの財産が転がり込む。親父はまだ元気だが、それでもさっき言ったみたいに心筋梗塞を二度やってるし、何しろもう歳だ。だから、あいつは離婚を切り出すとしたら親父が死んでからだと考えてるんだろ。そのせいか親父の世話だけはやけに親身になってやってくれてたよ」

神代の実家は横浜の大地主だと聞いていた。しかし、美奈が彼の言うような財産目当ての打算家だとはとても思えない。

「そんな馬鹿なことがあるもんか」

啓吾が言うと、

「いや、ほんとだよ。それがあいつの俺に対する復讐なのさ。だからいつも遊び程度の相手としか付き合わないのかもしれん」

神代はまるで他人事めいた口ぶりで言うのだった。

思わぬ話の展開に、啓吾の方は今日の訪問の目的が一体何だったのか次第に分からなくなってきていた。彼は美奈から聞いた話、そしていまの神代の話を比較検討しつつ、懸命に頭の中を整理する。

「しかし、お前たち夫婦はどうしてそんなことになってしまったんだよ。少なくとも俺が会社にいる間は、それなりに仲良くしているふうだったのに」

啓吾は考えながら質問した。神代を見ていると、啓吾と美奈との関係についてどう受け止めているのかいま一つ判然としないのだ。美奈が啓吾のもとを訪れて一緒に暮らして欲しいと言ったことも、彼女が店で酔いつぶれて二晩、啓吾の家に泊まったことも、さらには怪我が治ってからも東京には戻らず、啓吾の家のそばに部屋を借りて住み着いてしまったこともすべて話しているというのに、神代はそのことにさしたる関心を示す様子がないのだった。

「もう美奈から聞いているかもしらんが、実は、俺には子種がないんだ」

しばしの沈黙のあと、神代が俯けていた顔を上げてそう言った。

「結婚して四年目だから、九〇年頃だったかな。いつまでも子供ができないんで俺たちは大学病院に調べに行ったんだ。そしたら原因は俺にあることが分かった。思えばあのときあいつと別れてやるべきだったと俺はいまでも思ってる。だけど、ちょうど親父が最初の脳梗塞で倒れたりでそれどころじゃなかったし、美奈もそんな理由で別れたいなんてさすがに口にできなかったんだろう。まだ彼女も二十代後半で若かったしな。俺もどうせ子供ができないならいっそ割り切って、美奈と二人きりの人生を楽しんで生きればいいんだ、と最初は軽く考えていた。ところが、実際には心の奥深い部分で、俺も美奈もその事実に打ちのめされていたのさ。もちろん美奈は決して顔には出さなかったが、それから二、三年して彼女が三十歳を超えてからは、明らかに俺に向かう気持ちが急速に色褪《いろあ》せていくのが分かった。そして、俺はそんな彼女と一緒にいるのが段々いたたまれなくなってきたんだ。俺の浮気が始まったのはちょうどその頃からだ。それなのに美奈は俺に文句一つ言わなかった。ただ黙って、普段の生活を続けていた。もちろん、俺も何食わぬ顔で美奈との暮らしを続けた。だけど、俺にはよく分かってた。美奈は、俺が決して自分から離れていかないと知ってたんだ。というより、幾ら外で浮気をしたところで、その相手と俺が逃げ出したりできないことを彼女は誰よりもしっかり理解してたわけさ。そりゃあそうだよな。俺には子種がないんだ。たとえどんなに他の女を好きになったところで、その女と一緒になってやれるわけじゃない。美奈だって、子供ができないと分かったときは俺のことを精一杯慰めたし、子供なんて要らないとも言ってくれた。それが二、三年も経つと、微妙に変わってきた。本人がどのくらい自覚していたかは別にして、どこかであいつは俺を軽んじるようになった。それは俺の妄想なんかじゃないよ。その美奈の心変わりが俺にははっきりと察知できたんだ。だとすれば、たとえ美奈と離婚して他の女と一緒になったところで、また同じに決まっている。俺に子種がないと承知で結婚してくれた女だって、いずれは、美奈同様に俺のことを許せなくなる。女というのはたとえ心で許せても、身体で許せなくなってしまうんだ。その独特な女の生理については、子種のない男にしか絶対に感覚することができないよ。世の中じゃあ、不妊症の女性のことばかりがクローズアップされているが、一方で無精子症の男のことは余りにも無視されすぎていると俺は常々思ってる。男にとっても、自分に子供ができないと知ったときのショックは物凄いものがある。正直なところ、病院の検査結果に関しても、俺の方が彼女より何倍もショックだったと俺は思ってるよ。だってそうだろう。美奈は産もうと思えば産めるんだ。俺と別れて俺以外の男と寝ればそれでいいんだからな。だけど俺は違う。どんなに頑張っても、自分の子孫を後世に残すことができない。俺はそうやって無念の思いを味わうたびに、どうして病院になんて行って調べたりしたんだろうとつくづく後悔したよ。そして、一緒に検査に行こうなんて言いだした美奈のことが心底憎かった。いまだってその気持ちは全然変わってないんだ」

二十数年来の付き合いでありながら、神代の口からこんな話を聞くのは初めてのことだった。神代に子種がないという美奈の話は偽りでなかったことがこれではっきりした、と啓吾は冷静に思った。ただ、そのことで神代がこれほど深い苦しみを抱えつづけてきたとは、おそらく美奈も気づいていなかったのではないか。

だが、神代の話にも腑に落ちない点が多々あるのも確かだった。

たとえば、結婚四年目にその事実が判明したあと、どうして美奈は神代と速やかに別れなかったのか。神代の方も自分に子種がないからといってどうして浮気を繰り返す必要があったのか。そこが啓吾にはよく理解できない。世間には子供に恵まれなくても仲睦まじく暮らしている夫婦は山ほどいる。逆に、子供がいても離婚してしまう夫婦も掃いて捨てるほどいるではないか。さらに疑問なのは、そうやって夫の浮気にも耐え、結婚生活をずっと守りつづけてきた美奈が、どうして六年前から急に羽目を外したように男遊びを始めたのかということだ。

美奈と二人きりで初めて食事をしたとき、彼女は「この一、二年、自分や夫のこと、将来のことを少しでも考えようとすると息ができなくなる」と言った。そして、二度目に会ったときには、このままホテルに連れて行って欲しいとしきりにせがんできたのだ。さらに思い出してみれば先月の二十四日、ハイアットの彼女の部屋で対面した折も、美奈は神代に子種がないことを打ち明け、「だから、私、藤川さんの子供を産みたいんです。あのときもほんとうはそういう気持ちでした。だけど当時の藤川さんにはそんなこととても言えなかった」と語っていた。六年前といえば、美奈はすでに三十七歳。出産するにはそろそろタイムリミットが迫ってくる時期だ。その焦りが、美奈の心に大きな心境の変化を引き起こし、彼女をあんなに大胆な行動に走らせたのだろうか。

だとすれば、その後の彼女の行動は理解しやすくはなる。そうやって必死の思いで選んだ啓吾は、最後のところで美奈を拒絶してしまった。一人東京に残された彼女はきっと自暴自棄になったことだろう。神代の話によれば、美奈の「男出入り」は「ちょうどお前が会社を辞めた頃から急に始まった」ということだった。つまりは、彼女をその後の無軌道な行為に駆り立てたのはまさしく啓吾本人ということになる。

そう考えてみると、啓吾には美奈がどうにも哀れに思えてくるのだった。

しかし、ここでも大きく引っかかってくるのは、あの流産の一件だった。

ホテルで美奈が瞳を潤ませながら「藤川さんの子供を産みたい」と懇願してきたとき、すでに彼女は妊娠していた。もしもその一事がなかったのなら、たとえ幾人もの男遍歴を経た後だったとしても、六年後のいまになって、最後のチャンスにすがるように啓吾のもとを訪ねてきた美奈の心情は、啓吾にも分からないでもない。しかし、現実は決してそんな生易しいものではない。美奈は、別の男の子供を腹に宿しながら、啓吾の子供を産みたいと言い募ったのだ。一体、あのときの美奈の真意とは如何なるものだったのか。考えれば考えるほど分からなくなってくる。

「子供ができないことでお前が苦しんだのは理解できるが、しかし、それだけが原因で美奈さんの気持ちがお前から離れたというのは違うんじゃないのか。やっぱりお前の女出入りが最大の原因だろう。彼女が男を作ったのだって、浮気性のお前にそれこそ意趣返しがしたかったからじゃないのか」

啓吾は言った。神代の話に現実離れした大仰さをどうしても感じてしまうからだ。

「いやそうじゃない。あいつが男漁りを始めたのにははっきりとした理由がある」

神代は即座に否定する。そして彼はまるで挑むような目つきで啓吾を見た。

「理由?」

啓吾はそのきつい視線に目を逸らしながら訊いた。神代は本当は六年前の美奈と自分との関係を知っているのではないか、と背筋に冷たいものが走る。

「あれは、ちょうどお前が会社を辞めた直後のことだ」

神代は大きく頷き、重々しい声で言った。啓吾は知らず生唾を飲み込んでしまう。

「レオナルドが死んだんだ」

だが、彼の口から飛び出したのはまったく予想外の台詞だった。

「レオナルド?」

啓吾は意味が分からず問い返すしかない。

「ああ。お前も知ってるだろう。俺たちが飼ってた犬だよ」

「はあ……」

啓吾はため息ともつかぬ息を吐いた。そういえば、何度か三田の神代邸を訪ねた折、たしか小型の室内犬がいたことを思い出した。神代たちの足元にじゃれついていたその姿が何となく脳裡に甦ってくる。

「レオナルドが突然死んでから、あいつは明らかにおかしくなったんだ。レオナルドは、俺たち夫婦に子供ができないと分かってすぐから飼い始めた犬だった。俺も可愛がっていたが、美奈の可愛がりようはそんなものじゃなかった。そのレオが十歳で急死したのが六年前だ。美奈のショックは凄かったよ。どんなに可愛がっても所詮犬は犬だ。飼い主よりも先に死んでしまう。美奈は、レオの死でそのことを心底思い知らされたんだ」

何か重大事を宣告するかのように真顔で語る神代の姿に、啓吾は内心で呆然としていた。その様子から察するに、愛犬の死が引き金となって美奈が男漁りを始めたと彼は真面目に信じ込んでいるようだった。自分に子孫を残す能力がないと知って浮気を繰り返すようになったのも、もとはといえば美奈の心変わりが原因だと彼は言い、一方で、六年前から始まった妻の浮気に関しては、飼っていた犬の突然死が原因だったと指摘する。もしもそんなことを本気で信じているのならば、この神代という男は幾分常軌を逸していると考えざるを得ない。

一体、彼はいつからこんな無責任な男になったのだろうか、と啓吾はどうにも不思議な気分だった。

もちろん、先日の心臓発作、逮捕されてからの二十日間に及ぶ検察による過酷な取り調べ、それ以前の事情聴取、さらには昨年末の会社からの放逐など、立てつづけに押し寄せた人生の荒波が彼の心身を疲労困憊《こんぱい》させ、正常な判断力や思考力を奪った面も大いにあるだろう。だが、この独善ぶりの原因はそれだけではない気がする。

そういえば、彼は自らが主導した粉飾決算についても「やってる最中は罪の意識なんてほとんどなかったし、正直なところいまだってそれほどの罪悪感はない。昔、戦争をやった連中も、きっとこんな感じだったんだろうなって思うくらいだ」とさきほど平然と語っていた。そして、「どうしてあそこまでやったのか自分でも不思議な気がするよ」と苦笑いし、「昔から何事もやりすぎるのはお前の方だと思ってきたが、案外、俺も自分ってものが分かってなかったよ。とにかく自分のことってのは歳を取れば取るほど分からなくなるもんだな」と述懐したあとに、「ただ、俺が最近思うのは、正義ってのは悪があって初めて成り立つってことだな。何でもかんでもそんなものだと俺は心から思うようになった。この世界で起きてることは所詮そうやって一から十まで相対的なものでしかない。だから、時代が変われば正義と不正義が簡単に入れ替わったりするんだ」と結論づけてさえいたのだ。

その場で聞いていた分には、啓吾も共感できるところがあるように思えたが、こうして彼と美奈との関係について詳細に聞き出したのちに、一連のその言動をあらためて思い返してみると、この神代富士夫という一個の人格の中には、反省や後悔、自己の犯した罪に対する畏《おそ》れのようなものがどうやら完全に抜け落ちているらしいことが仄見《ほのみ》えてくる。

啓吾は、そのことに慄然《りつぜん》とさせられるものを感じた。

――この男は少なくとも一連の粉飾決算に手を染め始めた頃から、きっと自らを見失っていったのだろう。そうでなければ、やはりあそこまでの行為は到底できるものではない。

啓吾はそう考えながら、かつての親友の姿を眺めやる。

――歳を取れば取るほど自分のことが分からなくなる、と彼は言っていた。その台詞は案外本人が自覚している以上に、いまの彼自身の深層心理を如実に表しているのかもしれない。そうも思った。そしてそう考えると、彼をこんなふうにしてしまった明治化成という会社や、川尻、窪田をはじめとした歴代の経営者たちのことが啓吾には無性に腹立たしく思われるのだった。

結局、二時間ほど神代とやり取りをして、啓吾は病室をあとにした。

神代は最後まで、美奈に関して何一つ具体的なことを自分からは口にしなかった。

「美奈さんがお前と別れたいと言ってきたら、了承するつもりはあるのか?」

と訊ねると、

「そうする以外にないだろう。ただし、俺もこんな身の上だ。大した金は払ってやれないから、そのことだけはあいつにしっかり伝えておいてくれ」

神代はあっさりそう言って、それきり何かをつけ加えるでもなかったのだ。

啓吾は最後に、優花のことについてこんな訊き方をした。

「ところで、お前と彼女は心が通い合ってるのか？」

突然、そんな質問を受けて神代は面食らった感じだったが、啓吾が真剣な表情で答えを待っていると分かると、さすがにしばらく思案気な様子になった。

だが、案の定、彼はおかしそうに笑いだして、

「藤川、一体何を言ってるんだよ。そんなこと誰にも分かるわけがないだろう。優花はほんとうによく尽くしてくれるし、俺にはもったいないような女だ。だけど、彼女の心は彼女だけのもので、俺にはやっぱり全然見えやしないよ」

と言ったのだった。

病院を出て腕時計を見ると、すでに午後九時を回っていた。

啓吾は重い疲れを感じた。

長い坂をゆっくりと上り、ふと前方に目をやるときらきらと光を放つ新宿の高層ビル群が、まるで目の前にあるように見えた。

博多も大きな街にちがいないが、しかし、この東京の巨大さは桁外れだとあらためて思う。

だが、今日の昼間、ホテルの部屋から眺めたときのような感慨はもう湧いてはこなかった。

この大都会で戦いつづけたところで、最後はあの神代のように、自らも気づかぬうちに精神を荒廃させてしまうのがオチなのだろう。こんな狭い場所にこれほど多くの人間を詰め込んでしまえば、そこで行なわれる生存競争は否応なく容赦のないものにならざるを得ない。ひとたび躓《つまず》いた人間も、そしてその倒れた人々を蹴散らしてさらに前へと進みゆく人間も、どちらともが、この過密都市では自らの精神を必要以上に傷《いた》めつけてしまうのだ。

たとえ子供に恵まれなくとも、お互いの心が通い合ってさえいれば夫婦は必ず添い遂げることができる。啓吾自身が塔子と別れたのも、彼女とのあいだに心を通い合わせることができなくなったからだ。

だが、美奈とのあいだには、そうした通じ合う心があるように啓吾には思える。

それは単に一時的なものかもしれないし、啓吾の一方的な錯覚に過ぎないのかもしれない。それでも、塔子とのあいだには感じることのなかった深く新たな気持ちを啓吾は美奈に対しては感ずることができるのだ。

――もしかしたら、東京ではなく、あの博多の町で彼女と再会できたことが、自分にそうした気持ちをより強く甦らせてくれたのかもしれない。

それまで考えてもみなかったようなことに、啓吾はふと気づいたのだった。

――だとすれば、自分が博多で暮らしたこの六年間も決して無駄でなかったのではないか。とにかく、明日一番の便で福岡に帰ろう。今夜、神代から聞いた話の真偽を美奈本人に一度きっちりと質してみなくてはならない。例の流産の一件についても、この際、彼女にちゃんと確かめてみよう。

啓吾はそう決心を固めて、最寄りの地下鉄駅へと通ずる坂道を今度は急ぎ足で下りはじめた。

q

翌十一月十六日、啓吾は午前七時半発のＡＮＡ２４１便で帰途についた。

福岡空港に到着したのは定刻から五分遅れの九時半。十時過ぎにはもう大名の自宅に戻っていた。

機内で軽食とコーヒーのサービスを受けたので、それほど空腹ではなかった。部屋着に着替えるとキッチンで緑茶を淹れた。大きな肉厚の湯呑みにたっぷり注いで、それを持って居間のソファにどっかりと腰を下ろす。熱い茶をすすって、ようやくほっと一息つくことができたのだった。

駆け足の東京行きだったし、昨夜は結局あまり眠れなかったが、それでも腰の具合に異状は感じなかった。これならば今夜から店を開けても構わないだろう。

自分が帰ったことを美奈に伝えなければ、と啓吾は思う。昨日はこちらからも電話はかけなかったし、美奈からも連絡は来なかった。

が、なにぶん昨日の今日で、さっそく神代から聞いた話を美奈にぶつけたり、彼女の嘘を問い詰めたりするのは気がすすまなかった。

せめて今日一日は様子見を決め込もう。もし美奈の方から電話してくれれば、そのときは帰宅を伝えて、今夜店が終わったあとか、明日の午前中にでも直に会って子細を報告すればいい。

昨日同様、今朝の東京の空も晴れ渡っていたが、博多もぽかぽか陽気で、透き通った秋の陽光が居間の窓からいっぱいに降り注いでいた。

その光を浴びながらあたたかいお茶を飲んでいるうちに、だんだん眠気がさしてくる。今日は水曜日だが、慶子には二、三日留守にすると言ってしまったので、今夜と明日の分の突出しは自分で作るしかない。惣菜屋から調達する手もないではないが、せっかく流行りだした店で、そういう手抜きはしたくなかった。

啓吾は眠気を振り払うようにソファから勢いよく立ち上がる。壁の時計を見ると、ちょうど十一時になっていた。さっそく近くのスーパーに買い出しに行って、何か材料を仕入れて来ることにしよう。

三十分ほどで買い物から戻り、啓吾は二階のキッチンで突出し作りを始めた。

新鮮なキビナゴが安かったので、それにイカ、大根、たまねぎなどを買ってきた。キビナゴの南蛮漬けとイカ大根を作ろうと決めたのだ。大根は米の研ぎ汁で下茹でしなくてはならないので、ついでにご飯も炊いて、昼食はそのご飯と突出しの二品、味噌汁ですませることにした。

大根を十分ほど下茹でしているあいだに、南蛮漬け用のタレを作り、キビナゴと一緒に漬け込むタマネギ、セロリ、トマトを薄切りにする。タレは酢、醬油、蜂蜜、オリーブオイル、それにかぼす汁、そして塩コショウで味を調《ととの》えておく。キビナゴは刺し身にもできそうな新鮮さで、銀色の背がきらきらと輝いていた。ワカサギよりさらに小さな魚なので身を崩さないように用心しながら丁寧に水洗いする。キッチンペーパーで水気をしっかり取って小麦粉を振りかけ、フライパンに浅く溜めた油の中に一尾ずつ静かに落としていく。油温は低めにして四、五分じっくりと揚げるのだ。しばらくすると何とも言えず香ばしい匂いがフライパンから立ちのぼってきた。啓吾の食欲もにわかに刺激される。

大根の方は下茹でが済むと鍋を下ろし、今度は別の鍋に水、醬油、砂糖を入れて買ってきたイカの切り身を放り込んだ。このイカも活きがいい。三、四分煮立てて、イカの身が固くならないうちに上げ、イカの味がついた煮汁に大根を入れてひたひたまで水を注ぎ足し、落としぶたをして二十分ほど煮詰めていく。こちらの鍋からも美味しそうな醬油の香りが漂ってくる。

カラリと揚がったキビナゴをガラスのバットに敷きつめ、そこにタマネギやセロリと合わせておいたタレを一気にかける。ジュッと気持ちのよい音がして、何とも言えない甘酸っぱい匂いが台所に立ち籠める。

ほんとうは冷蔵庫で冷やして、じっくり味をしみ込ませてから食べるのだが、啓吾は味見がてら、あつあつのそれを箸で摘んで口に放り込んだ。シャキシャキした食感と共に口の中に独特の香味、酸味、甘味、油味が広がり、まさに絶品の旨さだった。

大根がいい色になったところで、さきほどのイカを入れてさらに五分ほど煮る。イカ大根が仕上がる頃には炊飯器の中の米がちょうど炊き上がったのだった。

十分ほど蒸らしたあと釜の蓋を開け、しゃもじでご飯をまぜているとき階下でチャイムの音が聞こえた。インターホンのある居間には向かわず、啓吾はそのまま階段を降りて店の玄関まで行く。

ドアを開けると美奈が笑顔で立っていた。

何となく彼女だという気がしていたから啓吾も自然に笑みを作る。昨日一日会わなかっただけだが、ずいぶん久しぶりのような感じがした。

「早かったわね」

美奈が言う。

「七時半の飛行機で帰って来たんだ。だけど、よく分かったね」

啓吾が訊ねる。

「前を通りかかったら二階の窓が開いていたから。ああ、帰って来たんだなって思って、ピンポンしてみたの」

そういえば、居間の表通りに面した窓を開け放してあった。

「いま仕込みをしてたんだ。一段落したらきみに連絡しようと思ってた」

歩いて五分足らずの距離に住んでいれば、様子見など所詮無理ということか、と啓吾は思いながら言う。だが、美奈は別にそんなことは気にしているふうもなく、

「お疲れさま。飛行機大丈夫だった？」

と言った。

「全然平気だったよ。もう治りきったんじゃないかな。まあ、油断禁物ではあるんだけどね」

彼は腰に両手をあてがって少し揺すってみせた。

「だったらよかった」

美奈は微笑む。

「ところで、昼飯まだだろ？」

時刻は昼の十二時半を回ったところだ。

「一緒に食べないか。ちょうど支度が終わったところだったんだ。簡単なものしかないけど、ご飯は炊き上がったばかりだし」

「じゃあ、御馳走になろうかな」

美奈は嬉しそうな声で言う。

残っていた大根の葉と冷蔵庫にあった納豆で美奈が手早く納豆汁を作ってくれた。

ダイニングのテーブルにはキビナゴの南蛮漬け、たっぷりのおろし生姜を載せたイカ大根、買い置きのキュウリの浅漬けと昆布の佃煮などが並び、そこに湯気の立つ納豆汁と炊きたてのご飯を添えると、ずいぶん豪華な昼餉になった。

美奈は実に手際良く膳の支度を整えていく。料理の盛りつけも巧みだった。

十三日にここで引っ越し祝いをしたときも、ありあわせの食材で幾皿もつまみを拵《こしら》えてくれ、啓吾は案外、自分より美奈の方が料理は上手いのではないか、と思ったほどだった。

彼も若い頃から、自分で料理をするのが好きだった。子供ができなかったこともあって塔子と暮らしているあいだは、週末はよく啓吾が食事を作ったものだ。商社勤務を続けていた塔子は、仕事はよくできたようだが、家事一般はどれも不得手だった。家では掃除も洗濯も料理も半々以上に啓吾がこなしていた。塔子に言わせれば「あなたの性格が細か過ぎて、人に任せられないだけよ」とのことだったが、その指摘は少なくとも半分は当たっていたと思う。

塔子との関係がぎくしゃくし始めたのは、結婚四年目に彼女に転勤の話が持ち上がってからだ。赴任先はロンドンで、女性社員としては初のロンドン勤務となるらしかった。塔子は当時三十歳、啓吾は三十二歳になっていた。二人の出した結論は、塔子の単身赴任だった。

で、予定より一年多い三年間の別居生活を送った。塔子が帰国したときは啓吾の会社の業績は急降下を始めており、彼は仕事に忙殺されていた。そして何より、三年間のブランクはいつの間にかお互いを他人同士に戻してしまっていた。

離婚が決まって、啓吾は、あのロンドン赴任を本気で止めていれば塔子と自分とはこんなふうにならずに済んだのではないか、と考えた。が、よくよく振り返ってみれば、あそこで塔子を止めることは何があっても不可能だったような気がした。さらにもっと内心の奥深くに分け入ってみれば、もうあの時点で、自分は塔子との関係を半分放棄してしまったようなところがあったと思った。それは、塔子にしても同様だったはずだが。

ほんとうに二人の心が通じ合っていれば、三年間も離れ離れになるような選択をすることはあり得なかったし、何とか一緒に解決策を見つけ出していたに違いない。加えて、啓吾がいまになってしきりに思うのは、もしも二人の心が通い合っていれば、そもそもあんな転勤話など最初から塔子に持ち上がっていなかったはずだ、ということだ。

人間と人間との強い絆《きずな》には、そのような目に見えない偉大な力が潜んでいる——最近の彼はそう深く信じるようになっていた。

美奈は南蛮漬けにもイカ大根にも舌鼓を打ってくれた。

「すっごく美味しいじゃない」

と言ってもりもり食べている。どうやら彼女はなかなかの大食漢のようだった。なのにちっとも太っていないのが啓吾には羨ましい。

「こうやって美味しいご飯を一緒に食べていると、とても落ち着かないか？」

啓吾も箸を進めながら言う。美奈がしっかりと頷いた。

「どこに行ってきたの？　それとも出かける途中だったとか？」

ふと啓吾は訊ねた。この家の前を「通りかかった」のならきっと別の用向きで外出していたのだろう。

「明日、玉ちゃんが来るから、昨日から幾つか店舗用の物件を見て回ってるの。今朝も大名から薬院まで五件も見てきたのよ。ほら、この前お世話になった不動産屋の営業のお兄さんがいたでしょう。あの人にずっと案内してもらってるの」

二杯目のご飯を頬張りながら美奈が言う。

「玉ちゃんが来る前に、ある程度データは揃えておいた方がいいしね」

彼女は実に潑剌《はつらつ》とした様子に見えた。食事の最中も、東京での啓吾の首尾については何一つ訊いてこない。

「じゃあ、もうバッファローが博多に進出するのは本決まりなわけ？」

「もちろんよ」

「玉枝さんがそう言ったの？」

「そうよ。電話で相談したら、『だったらミー子、すぐやってよ』だって」

「だけど、きみが突然博多に移住することは、何て説明したの？」

「やっぱり藤川さんのところに行くんだねって、玉ちゃんはそう言っただけよ」

「えっ」

思いもかけない台詞に啓吾はびっくりしてしまう。彼の顔を見ながら美奈は当たり前のことのように、

「玉ちゃんには、あなたとのことも最初から全部打ち明けてあるし、神代とのことも話してるから。それが親友同士ってものでしょう」

と言うのだった。

「今日は、二時からまた三件ばかり見て回る予定。私、たぶん来週から一ヵ月くらい大阪で研修だから、その前に店舗の目星だけはつけておかないとね」

あげく、美奈はさらに驚くようなことを口にした。

「一ヵ月、大阪で研修？」

啓吾が問い返すと、

「玉ちゃんは東京本部においでって誘ってくれたんだけど、私が東京には帰りたくないって言ったの。そしたら大阪の関西本部で研修すればいいって」

美奈は言う。どうやらその研修も本決まりのようだった。

「しかし、出店資金なんかはどうするの？　全部バッファローが負担するってこと？」

そうならば、美奈はショップオーナーではなく純然たるバッファローの社員ということになる。

「お金は自分で出すわ。そうじゃないとせっかくお店をやっても面白味がないでしょ。とりあえず実家の母に幾らか借りようと思ってるの。あとは私の貯金も多少はあるし、玉ちゃんも力にはなってくれるから」

美奈の口からは神代のくの字も出てこない。

神代は昨日、美奈が火遊びを繰り返しながらも離婚を切り出さないのは、自分がいずれ父親から受け継ぐ財産を狙っているためだ、と説明していたが、この美奈の言い方からしても、彼女がそんなことを目論んでいるとはおよそ思えない。

「なるほどね」

しかし、啓吾はただ相槌を打っただけだ。

食事のあと、美奈が淹れてくれたコーヒーをリビングで一緒に飲んだ。

時刻は一時半近くになっていた。そこでようやく美奈が、

「で、彼には会って来たの？」

と訊いてきたのだった。

啓吾は富永優花とも神代ともじっくり話ができたと言い、神代と優花との仲が美奈の言っていた通りのものであること、神代が啓吾と美奈との関係についてさほど関心を示さず、彼

も美奈とは離婚する以外にないだろう、と言っていたことなどを伝えた。

「ただし、離婚するといっても、そんなに慰謝料は払えないと明言してたよ」

啓吾が言うと、

「最初からあの人のお金なんて一銭も貰うつもりないもの」

美奈はあっさりしていた。

そして、彼女は空になったコーヒーカップを下げにキッチンに行くと、今度は緑茶の入った湯呑みを啓吾の分だけ一つ持って戻り、それを手渡してから再び向かいのソファに腰をおろした。

座ると同時に少し背筋をまっすぐにして、

「ごめんね」

と不意に言う。

「何が?」

啓吾はやや戸惑い気味に返した。

「私のことで啓吾さんにいろいろ迷惑をかけてしまって」

美奈は神妙な面持ちでそう口にすると、

「ほんとにごめんね」

ともう一度繰り返して、ぺこりと頭を下げてみせたのだ。

一連の彼女の反応を観察しているうちに、啓吾は、神代が話していた美奈の「ご乱行」についても、慶子から先日聞いた空港での流産の一件についても、いまさら彼女に真偽を確かめたところで大して意味がない、という気分に段々なってきたのだった。

丸一日会わずにいたあと、こうして昼餉を共にしてみて、美奈がそばにいてくれるだけで自分の心がいかに浮き立つかを、啓吾は身に沁みて感知することができた。そしてそれが美奈にとっても同じであることが彼にはよく分かるのだった。

いまさら彼女の過去をあれこれ穿鑿することに、双方にとって幾許《いくばく》の利があるのだろう、と啓吾は思った。

美奈がかつて誰と付き合っていたにしろ、いまは東京を離れて新しい土地での再出発を期している以上、もはやその者たちとのしがらみは皆無に違いあるまい。また、たとえ美奈のお腹に誰かの子供が宿っていたとしても、その子はこの世に生れることなく消えていった。きっとそれがその子の運命であったのに違いない。

――結局、ただ一つ残ったことは、彼女がこうして自分のそばにいるという事実だけだ。ならば、これまでのことで美奈を責めたり問い質したりする必要がどこにあるというのだろう。

啓吾の胸中では、次第にそうした気持ちが強くなってきていたのだった。

土曜の夜も客足は途切れなかった。

前夜金曜日の売上は先週につづき十万円を超えていた。それだけでも驚きなのに、今夜もまた十万の大台に手の届きそうな勢いなのだった。

この突然の大盛況は一体全体どういうことだ、と啓吾自身が日々首を捻っている。ただ明らかなのは、美奈の忠告に従って日本酒を店に置きだしてから客が増え始めたということ、そして、美奈が大名に越してきたこの一週間でさらに客が五割増しくらいになったということだった。

日付が変わって二十日日曜日の午前二時十五分。最後の三人連れの客が引きあげると、啓吾は看板の灯を落とし、そそくさと店の片づけをすませて家を出た。

美奈の部屋で今夜、送別会を開くことになっているのだ。

木曜日に春日玉枝と会った美奈は、さっそく明日の月曜日から大阪に研修に出向くことにしたのだという。期間は約一ヵ月。そのあいだも店舗の選定や内装の打ち合わせなどで折にふれ戻ってくる予定ではあるらしいが、そうはいってもクリスマス直前まで彼女はこの博多を不在にする。啓吾にすれば、ひどく寂しくもあり心もとなくもあった。

バッファロー福岡店の開店は来年二月初旬と決まったようだ。開店までわずか三ヵ月足らず。美奈としても今後のタイトなスケジュールを考えると、明日からの大阪行きは止むを得ないところだろう。

木曜日の夜に研修の件を聞き、その場で今夜の送別会を提案した。「きみの部屋で飲み明かそう」と持ちかけると、「じゃあ何か美味しいものを用意しておくね」と彼女もすぐに乗ってきたのだった。

久々に美奈の部屋に上がると、寝室にダブルベッドが置かれていた。他にこれといった家具もないので、狭くなったというよりも殺風景な部屋が却って落ち着いたような感じがする。十畳ほどのリビングダイニングには小さなキャビネットと液晶テレビも入っていた。こちらもその二つのおかげでだいぶ居間らしくなっていた。

二人掛けの丸テーブルの上には鍋支度がしてある。

差し向かいで席について、啓吾はまず持参のワインを開けた。それにもう一本、「山猿」という人気の焼酎も持ってきている。先週、美奈の引っ越し祝いで飲んだときはもっぱらウイスキーだったので、今回は趣向を変えてみることにしたのだ。

鍋は、博多ではめったにお目にかかれないねぎま鍋だった。

数年ぶりの味に啓吾はちょっと感激してしまった。昆布とかつおのダシにたっぷりと醤油を利かせた煮汁はまさに関東風だ。それにまぐろの中トロ、長ねぎ、ぶなしめじという具材が実によく馴染む。

白ワインをがぶ飲みしながら、

「これは旨いね」

と啓吾が言うと、

「福岡じゃあ、まぐろってあんまり食べないみたいね。他の魚は東京よりうんと新鮮で安いのにまぐろだけは高いからびっくりしちゃった」

と美奈が言う。

「博多では鯛が高級魚の代名詞なんだ。あとはブリやアラかな。まぐろはせいぜい寿司屋で食べるくらいのものなんだ」

「狭い日本でも、その土地土地でやっぱりいろんな違いがあるのね」

美奈が感心したような口調になった。彼女は東京生まれの東京育ちで、地方に住んだことは一度もないと以前言っていたのを啓吾は思い出していた。

「とにかく、食い物はどれをとっても大阪から西が圧倒的に美味しいよ」

啓吾が言うと、美奈も頷いてみせた。

鍋の他にもビーフカツやキュウリと海老の炒め物、れんこんのきんぴら、厚揚げとチンゲンサイの煮物などが次々に出てきて狭いテーブルの上は鉢や皿でいっぱいになってしまう。

ワインはすぐ空になり、それからは美奈がビール、啓吾は焼酎に切り換えて、せっせと食べせっせと飲んだ。

午前四時頃になると啓吾はすっかり酔っ払ってしまった。先週も仕事は忙しかったし、一泊の東京行きもあった。やはり疲労が溜まっているのだろう、と自分でも思う。店が繁盛するようになって客商売が体力勝負であるとつくづく思い知った気がする。

美奈が空になった皿を片づけているあいだに急激な眠気に襲われた。啓吾は断りもせず寝室につながるドアを開け、着ていた服を脱ぎ散らかしてそのままベッドにもぐり込んでしまった。

ふと目を覚ましたのは懐にぐにゃりとした暖かさを感じたからだ。

ぐにゃりとしたものは美奈の身体だった。啓吾はいつのまにか彼女を背後から抱きかかえるようにして眠っていたのだ。

彼は美奈の首もとに巻かれていた自分の右腕を慎重に抜いて、ゆっくりと上体を起こした。閉じられたカーテンの向こうにはうっすらと明るさがあった。何時だろうと思いながらベッドの宮台に目をやると啓吾の携帯電話が置かれている。それを手に取って時間を確かめた。午前七時をすこし回ったところだった。

三時間近くも眠っていたことになる。とてもそんなに時間が経過したように思えず、啓吾はまるで狐につままれたような気分になる。

「何か飲む？」

不意に下から声がして、ぎょっとする。

美奈が目を開けてこちらを見ていた。

「うん」

返事すると彼女は起き上がりベッドを降りた。しばらくして冷たい水を持ってきてくれる。一息で飲み干す。それから彼は用を足しに行ってベッドに戻った。美奈が毛布を持ち上げてくれ、そのあたたかな空間に身をゆだねると、再び甘やかな眠気が押し寄せてくるのだった。

次に目覚めたときは正午をとっくに過ぎていた。

「お風呂沸いてるわよ」

と美奈に起こされる。ぼんやりとした状態のまま立ち上がると下着を強制的に剝ぎ取られ、素っ裸にされてお風呂場に連行された。美奈はバスローブ姿だったのですでに入浴を済ませたのかと思っていたら、彼女も裸になって浴室に入ってきた。熱めの湯に二人で浸かって、一気に啓吾の意識は鮮明になった。

「おはよう」

浴槽の中で向かい合わせの美奈が笑顔で言った。

風呂から上がるとバスローブ姿のままの美奈が大きなチーズオムレツを作ってくれた。バターの香りと少量垂らした醬油の香りが混ざり合って食欲をそそる。フォークで一緒にオムレツをつつきながら冷えたビールで乾杯した。啓吾も彼女とは色違いのバスローブを羽織っただけの姿だが、部屋の中はあたたかかった。

食事が終わり、美奈にごく当たり前のようにベッドに誘われる。時刻は二時を回ったところだった。

寝室のカーテンは朝から閉じられたきりで、室内は薄暗い。

美奈は裸になってベッドに入る。啓吾もバスローブを脱ぎ捨てて隣に滑り込んだ。風呂に浸かったせいか美奈の身体はすっかり火照《ほて》っていて、抱きしめるとその熱でじんわりと肌が汗ばんでくるのが分かる。そのうち、彼女の肌からも汗が滲み出してきた。

啓吾のペニスを握りしめる彼女の左掌は熱いくらいだった。

そうやって互いの性器を弄《いじ》りながら唇を烈しく吸い合った。

「もう右足は痛くないの？」

啓吾が訊くと、

「もう何でもないわ」

荒い息づかいの中、上擦った声で美奈が言う。

十分くらい抱き合ったところで、不意に彼女は起き上がった。

ベッドから降りると、クロゼットを開けて、中に積んである衣装ケースの一つから何か取り出して戻ってきた。美奈はベッドに上がり、半身を起こした啓吾の前に正座すると、手の中のものを差し出してくる。

それは新品の大きな包帯二個とやはり新品のハサミだった。

啓吾が彼女の顔とその包帯とを見比べて怪訝な表情を見せると、美奈は唾を飲み込むように一度息を詰めたあとで、

「これで私の手足を縛ってください」

と頼んできたのだった。

マットレスに仰向けになった美奈の両手両足を、渡された包帯を適度の長さにカットしながら縛りつけていく。左足は足首を縛ってベッドの左脚にくくりつけたが、右はさすがに傷痕の走る足首は避けて膝頭を縛り、ベッドの右脚に繋いだ。両腕は掌を合わせた形で頭上にかかげさせて、手首から肘までを包帯でぐるぐる巻きにする。

そうやって身体の自由を奪われていくほどに美奈は身悶えし、甘い吐息を洩らし、喘ぎ声を上げ始めた。

余った包帯で彼女の両眼も塞ぐ。猿ぐつわの要領で口まで塞ごうとすると、さすがに少し気色《けしき》ばんだような抵抗の所作を見せた。が、それも本気とは見受けられない。

啓吾はそのようにして彼女の身体を真っ白な包帯で拘束していくうちに、何か等身大の女人形を弄《もてあそ》んでいるような奇妙な充足感を感じた。そして、合間合間にヴァギナに指を挿入してやると、びっくりするくらいの量の液を噴き出しながら容易に達してしまう。そんな玩

具のような身体に、脳天の隅々を電流が駆けめぐるような興奮を覚えた。

それにしても、美奈はこんなことを一体誰に教わったのだろうか？

誰が彼女をこんな身体に仕込んだのだろうか？

おそらく神代ではあるまい、と思う。

神代が言っていた、高校時代の同級生なのか、スポーツクラブのインストラクターなのか、はたまた、再び縒りを戻したという翻訳会社の社長なのか。

そこまで思いが及ぶと、なおさらに啓吾のペニスは怒張するのだった。

啓吾ははちきれんばかりにカチカチになったペニスを一思いに美奈のヴァギナに突き刺した。

さながら磔《はりつけ》状態の美奈は、その瞬間にものすごい呻き声を上げ、突然のしかかってきた啓吾の身体に自分の下腹をぶつけるかのごとく腰を撥《は》ね上げてきたのだった。

啓吾の背筋を目が眩むほどの快感が突き抜けていった。

が、今回は、美奈の激しい動きを受け止める彼の腰はびくともしない。

差し込まれたペニスは深々と美奈のヴァギナを貫き、膣壁の複雑な襞に絡みつかれた途端にさらに一回り膨張している。

両耳を塞ぐ恰好でかかげられたその両腕を押さえつけながら、啓吾は美奈に食い込んだペニスを支点に腰を前後左右にゆっくりと揺すりだした。わずかでも腰が動くたびに、美奈の口からは喘ぎ声が生まれ、それはやがて切れ目のない悲鳴のようなものになっていった。啓吾は自分の腰の状態を慎重に確かめながら次第に動きを加速し、かつ激しくさせていく。

悲鳴は絶叫に変わり、とうとう半月ほど前に温泉旅館の一室で垣間見た以上の反応を美奈は見せ始めたのだった。

延々と啓吾は腰を振りつづけた。段々にペニスは感覚を失い、全体が虫刺されでむくみでもしたかのように腫れぼったい感じになってきた。そうなれば幾らでも射精を我慢できるようになる。

幾度かの小休止を挟みつつ、啓吾は一時間近く、美奈を翻弄した。股間を閉じることも叶わず、ぴちゃぴちゃと音立てるヴァギナは何回も洪水のように液体を噴き上げて、ベッドに掛けられたカバーもその下のベッドパッドもぐしょ濡れの状態になった。

猿ぐつわ代わりに嚙まされた包帯は唾液で濡れそぼり、美奈は口角を泡だらけにしながら際限なく達しつづける。

それでも彼女の反応は徐々に鈍くなってきていた。ちょうど一時間が過ぎたところで啓吾はそろそろ切り上げようと決めた。

腰の動きをピストン運動一本に切り換える。

すると、どういうわけか美奈の反応が不意にまた激しさを取り戻したのだった。これは啓吾にとって予想外の事態だった。

彼女は、縛りつけられている両腕を前後にバタつかせ、塞がれた口の隙間から声ならぬ声を発する。

最初は何と言っているのか、よく聞き取れなかった。

「アカニアシテ、アカニアシテ。ケヒコサアホネハイ」

「アカニアシテクハハイ」

彼女は眉間に皺を刻み、激しい喘ぎのたびに紅潮した顔面を醜く歪めながらも、必死の形相でそう繰り返して訴えていた。

しばらくしてその言葉の意味を了解し、啓吾は、腰の動きを止めた。彼女の口の包帯を取り、目隠しを解いた。

直後、腫脹《しゅちょう》していたはずのペニスが勃起時のノーマルな形状に戻ったような感覚があった。

——抜くのなら今しかない。

咄嗟に思った。

思ったが、なぜかその決心がつかない。

美奈の閉じられた瞳がすうっと開く。

その黒く大きな瞳を覗き込んだ瞬間、ペニスの付け根から先端にかけて脈打つ感触が一気に広がっていった。

「あーーーん」

美奈の喃語《なんご》のような声。

その声を耳にして啓吾の意識は急速に正常化していく。

彼の脳裡に甦ってくる言葉があった。

──私たち女は心と身体で生きる。だけど、あなたたち男は、目と頭だけで生きようとする。

別れた妻の塔子がずいぶん昔に口にした言葉だ。それにしても、なぜこんなときにこの言葉を思い出したのか。

ペニスは依然、大量の精液を美奈の中に吐き出しつづけている。

そういえば、と啓吾はさらに思い出した。そういえば、この塔子の言葉を想起したのは、先月の二十六日、美奈が去って行った直後に、彼女のぬくもりがいまだ残るベッドにもぐり込んだときのことだった。そうだった。自分はあのとき、もうこれで美奈との縁は完全に絶たれたのだとひどく物哀しい気分に襲われた。「もしも、私があなただったら、こんな私のことを置いていったり絶対にしない」──六年前に羽田空港で言われた台詞を、そっくりそのまま美奈に突き返したいような寄る辺ない気持ちに自分は陥ってしまったのだ。

──美奈を愛している以上、こうするしかないのだろう。

諦念にも似た心地で、再び瞑目したその端整な顔を見下ろしながら啓吾はぼんやりと思った。

そして、そこまで思い至ったとき、彼は、子種がないことの苦しみを縷々《るる》語っていた神代の心情がほんのわずかにだが理解できたような気がした。

s

結局、土日二晩つづけて美奈の部屋に泊まった。日曜日は一歩も外出せず、ただひたすら美奈と交わっていた。月曜の明け方までに一体何回射精したのかよく思い出せないくらいだったが、これほどの精力が我が身に残っていたという事実に、啓吾は素直に感心してしまった。朝早くの新幹線に乗るというので、二人とも二、三時間仮眠を取っただけで起床した。急いで荷造りをすませた美奈を連れて部屋を出たのは八時五分前だった。

赤坂駅まで歩いているあいだ、股を動かすたびに恥骨のあたりがしくしく疼いた。並んで歩く美奈に小声でそのことを告げると、

「実は、私もさっきからすっごい痛いのよ」

彼女は眉根を寄せ、ほんとうに辛そうな顔で呟いたのだった。

博多駅に着いたのは八時十分過ぎで、チケットを買って新幹線ホームに上がると「のぞみ8号」はすでに入線し、乗客たちも車内に乗り込み始めていた。八時二十五分の発車時刻ま

であと五分足らずだった。

乗車口の前で、例の大きなスーツケースを美奈に手渡した。

「いつ頃、戻って来るの?」

啓吾が訊ねる。

「来週後半には一度戻ることになると思う。お店の場所も決めないといけないし、玉ちゃんもまたこっちに来てくれる予定なの。今度は是非あなたに彼女を紹介したいわ。駄目かしら?」

「構わないよ」

「よかった」

啓吾は乗車するように美奈を促す。美奈はデッキの隅にスーツケースを置き、開いたドアを挟んで啓吾と向き合った。一段高いところに彼女が立ったので互いの目線がほぼ平行になる。

「ありがとう」

美奈が不意に頭を下げた。

「何が」

啓吾はその様子にちょっと不安になる。

「こうして見送りに来てくれて」

「なあんだ」

彼は笑った。それからしばし黙って二人は見つめ合う。

「ねえ」

「なあに」

「ちゃんと帰って来てくれるよね」

啓吾が言った。

「何言ってるの、当たり前でしょ」

今度は美奈が笑う。

「私もあなたも、これからはもっともっと頑張るのよ」

「そうかな」

「そうよ」

そこで発車のベルが鳴り出した。

「ずいぶん遅くなったけど、やっときみと一緒になれそうだね」

うるさいベルの音にかぶせるように啓吾は大声で言う。

「あのときあなたがOKしてくれてれば、とっくに一緒になれたのよ」

美奈も大声になっていた。

「そうかな」

そこで美奈は啓吾の目を真っ直ぐに見つめた。

「でも、これできっとよかったのよ」

お見送りの方はホームの白線の内側までお下がりください、というアナウンスが聞こえた。

啓吾は美奈に手を振りながらあとずさる。

「じゃあ、来週待ってるよ」

「うん。あなたもお店頑張ってね」

そこで乗車口の扉がシューッと音立てて閉まったのだった。


九時前には家に帰り着いていた。

今朝も実に爽快な快晴の空が広がっている。啓吾はコーヒーを一杯飲み干すと、早々に店の掃除を始めた。スツールや重みのあるテーブルを動かして、床や壁の隅を掃き掃除するのだが、腰の具合は快調そのものだった。

美奈と丸一日さんざんセックスをしてみて、啓吾はもしや、と思い当たることがあった。

この数年、自分を悩ませてきた腰痛の真の原因は、セックスの足りなさにあったのではないか、と。人としての本質的な営みであるセックスが不足するというのは、要するに腰部のしかるべき機能の一部を錆びつかせるということだ。結果、腰の能力は次第に退化し、筋肉組織も脆弱化してしまう……。

この直感は意外に当たっているように啓吾には思えた。そうでなければ、あれだけ酷使した直後にもかかわらず、これほど軽快に腰を動かせるのが解せない。半月前、美奈とのセックスの最中に腰痛が再発した折も、考えてみれば翌日一日温泉に浸かっているうちに痛みは消失した。実際、温泉から帰って来てからは、いままで何年も腰椎の奥深く巣くっていた病気の芯が次第に溶けていくような不思議な感覚があった。さらに、今回の美奈との激しいセックスで、ついにその芯が完全に溶解したことが実感として了解できるのだった。

こうした馬鹿げたことを半ば本気で考えながら一心にグラスを磨いていると、慶子が十日ぶりに訪ねて来た。

時刻は十一時になっていた。

冷蔵庫に密閉容器をおさめ、

「先週は、なんだか私がさぼったみたいで悪かったね」

と慶子は言う。啓吾はフロアのテーブルに磨きかけのグラスを戻して、椅子から立ち上がる。カウンターに近寄って慶子と向き合う。

「そんなことないさ。俺が帰って来たのを知らせなかったんだから」

彼女には金曜日の夕方に帰宅の報告をしたのだ。

「今日はうざくと厚切りハムのケチャップ煮。また少し量を増やしておいたから」

「サンキュー」

啓吾はポケットから封筒を取り出してカウンター越しに彼女に渡した。突出しの量もいままでの三倍以上だし、内容も少しグレードアップさせている。最近は材料費込みでそこそこの金額を支払えるようにもなった。

「啓ちゃん、すこし痩せたんじゃない？」

封筒をバッグにしまいながら慶子が言う。

「そうかな」

「頬がこけて何だか精悍《せいかん》になったよ。でも顔色はとてもいい」

今朝方までの美奈との情事が回想され、啓吾はちょっと照れくさい。

何と答えていいか分からないでいると、慶子の方が不意に何か思いついたような表情に変わった。

「そうそう」

そして、ぐいと啓吾の方に身を乗り出してきた。

「私、啓ちゃんに謝らないといけないことがあるんだ」

と言う。啓吾が首を傾げてみせると、

「ほら、この前、美樹の友だちから聞いた話だって言って、啓ちゃんの親友の奥さんが空港で流産したことを話したでしょう」

「ああ」

啓吾はすまなさそうな顔の慶子をしっかり見据えて頷く。

「あれ、実は人違いだったんだって」

あっけらかんとしたこの一言に、しかし啓吾は全身の毛が一瞬で逆立つほどの衝撃を受けた。

「人違い？」

その反問は呻き声のようだった。

「ほんとにごめんね。その奥さんにも失礼なことを言ってしまって申し訳なかったと思ってるの。あのときは啓ちゃんはとっくに知ってるみたいだったから、私、てっきり間違いのない話だって思ったんだけど、一昨日、美樹が同じ友だちにまた会って確かめたら、流産したのは別の若い女性で、その日は、エスカレーターで転んで怪我をした女性があともう一人いて、それがその奥さんのことだったみたいなのよ。なんか私や美樹の早合点で、変なこと伝えてしまって、ほんとうにごめんなさいね。今日は、まず何よりこの話を訂正しておかなきゃって思って、来たのよ」

啓吾の方は、しばしの間を置いてから、

「なんだ、そんなことだったのか。俺も聞いたときに変だなって思ったんだけど、まさか本人に直接訊ねるわけにもいかないしね」

と反射的に喋り、肩をすくめて笑ってみせた。が、頭の中は大半が真っ白になっていた。

とにかく慶子に早く退散して欲しい。たとえ悪意がなかったとはいえ、彼女のこの早とちりには我慢のならぬものを感じた。同時に、いままでの慶子に対する自分のいい加減な態度がこのような痛烈なしっぺ返しを招いたのだ、という強い自責の念もあった。

ほどなく慶子は引きあげ、啓吾は店のドアを閉めると錠を下ろし、まるで夢遊病者のようにふらふらと二階に通ずる階段を上った。

覚束ない足取りで居間に入り、倒れ込むようにソファに腰を沈める。

さっきまであんなにしっかりしていた腰が、どうにも頼りなくなってしまっている。

啓吾は深呼吸を何度か繰り返した。

なんのことはない。美奈は妊娠などしていなかったのだ。

よくよく考えてみれば、それは当たり前のことのように思えた。

幾ら美樹が聞きつけてきた話であったとしても、ろくに事実確認もせずに、すっかり真に受けてしまった我と我が身がいまとなっては信じられない。

さきほど駅のホームで美奈を見送ったとき、彼女は列車のドアが閉まる直前に「でも、これできっとよかったのよ」と言った。あの言葉さえも、啓吾には意味深長なニュアンスを帯びているように聞こえた。

——俺は、美奈と心が通い合っているなどと得意がっていながら、その一方で、彼女のことを何一つ信じてなどいなかった。人間の猜疑心とは何と恐ろしいものか。

昨日、最初の荒々しい交わりが終わったあと、啓吾が彼女の手足を縛《いまし》めていた包帯を解きながら、

「こんなこと、一体全体、誰に教わったんだい？」

と訊ねると、

「誰にも教わってなんかいないわ。もしも啓吾さんと本当に一つになることができたら、そのときは患者がお医者さまに生命さえもゆだねるみたいに、私は自分の何もかも全部を捧げようってずっと思ってたの。だから、こんなふうにしてもらいたかったの」

と美奈は答えたのだった。

むろん啓吾は彼女のそんな少女じみた説明はこれっぽっちも信じなかったのだ。

だが、もしかしたらあの彼女の言葉は真実だったのかもしれない。

——ああ、美奈が妊娠も流産もしていなくてほんとうによかった。

それにしても、いまの自分が腰が抜けたようになっている一番の理由は、実は、その強烈な安堵感のせいであることも啓吾は十分に心得ている。

「私もあなたも、これからはもっともっと頑張るのよ」

ホームで美奈はそう言っていた。

あのときの美奈は一体どんな顔をしていただろうか。

笑顔だったか？

それとも厳めしい顔つきであったか？

啓吾にはその顔がどうしてもうまく思い出せない。

ただ、その言葉に込められた美奈の気持ちは、たとえどんなに時間が経っても自分の心の中に息づき続けるような、そんな気がするのだった。

解説

大《おお》井《い》実《みのる》
（ブックスキューブリック店主）

本書『もしも、私があなただったら』は、白石一文氏が長らく勤めた文藝春秋を退社し作家として独立した後、生まれ故郷博多に戻って発表した、地元を舞台とした一連の作品のひとつである。

実在の事件がモデルになったと思われる巨大企業・明治化成を辞職し、故郷の博多で小さなバーを経営している藤川啓吾。そこに突然現れた元同僚・神代の妻美奈も東京での結婚生活をリセットし、博多で第二の人生を歩みだそうとする。また、啓吾も神代に会いに東京に赴くシーンが登場するなど、この物語では博多という街が東京と対比されるような形で描かれ、作品を成立させる重要な役割を担っている。

博多は、サラリーマンの希望赴任地アンケートなどで常にトップクラスに名を連ねており、住みやすい街だとよく言われる。実際、赴任期間中にすっかり博多を気に入り永住の地に選ぶ人も少なくないが、なにが人々をそこまで惹きつけるのであろうか。

第一に考えられるのはその恵まれた自然環境だが、近郊には美しい浜辺が点在し、周囲を手ごろな高さの山に囲まれているので気軽にハイキングや温泉などが楽しめる。また、食材、特に新鮮な海の幸には恵まれており、街中には川が流れ、屋台がまだ相当数残っていることなどもアジア的な風情や独特の祝祭性を感じさせる一因となっている。一方で、転勤族や単身赴任のサラリーマンの比率が高く、九州中から人が集《つど》って来るミニ東京のような側面も持っている。

要は、地方都市の良好な生活環境と適度な都会の刺激が両方味わえる、コンパクトにまとまった街と言うことができよう。また、そこに暮らす人々の気質も、開けっぴろげでサービス精神旺盛。加えて、お祭り好きという特性を持っている。

ところで、一口に博多と呼んでいるが、そこに住んでいる者の感覚で厳密に言うと、博多と福岡には違いがある。地理的には、西日本一の歓楽街中洲を挟んで東側が博多で、西側が福岡という区分けである。作中登場するキャナルシティや博多駅があるのが博多区で、天神や大壕公園は中央区となる。歴史的に見れば、博多は町人の町で、黒田藩・福岡城のお膝元福岡は、かつての武家町であり、啓吾が営む「ブランケット」が位置する大名や警固《けご》など、なごりのある地名も残っている。また、博多は博多祇園山笠やどんたくといった伝統的な祭りによってコミュニティが濃密に維持されているが、福岡は公園や緑の多い地域の雰囲気を気に入って移り住んで来る新住民の割合が多いという特徴がある。

私自身も白石氏と同じ博多の高校を卒業し東京・大阪で働いた後、啓吾と同じ一九九九年に二十年ぶりで帰郷して大名の隣町・赤坂で小さな書店を開いた。開業してしばらくたち周囲のお店のオーナー達との交流が増えてくると、自分のように東京や大阪から移住し、こちらで独立したという人が少なからずいることがわかり驚かされた。開放的で、お店単位のコミュニティの集まりによって緩やかに構成される街の雰囲気が、いわゆる流れ者にも心地よさを感じさせる要因となっているのであろう。


白石氏と私はほぼ同世代だが、我々が高校を卒業した昭和の終わり頃は、高度経済成長期は過ぎていたもののバブル景気以前で、誰もが資本主義の行く末など疑っていない時代だった。そんな当時には、一地方都市である博多に比べると東京は何でも揃っている輝かしい都市と映ったし、同級生でも白石氏同様、東京の大学に進学する者も多かった。

この作品に描かれている明治化成は、日本を代表する、かつては花形と呼ばれたであろう名門企業だ。そんな会社も拡大路線を突き進み、売上至上主義を突き詰めていった結果、大規模な粉飾決算という最悪の地点にまで踏み込んでしまった。入院中の神代が「昔、戦争をやった連中も、きっとこんな感じだったんだろうなって思うくらいだ」と啓吾に語るシーンが出てくるが、組織が肥大化しそれを維持することが目的の官僚的な体質に陥ると、人はしばし原点を見失ってしまう。戦後、経済成長第一でひた走ってきた日本社会も、気が付くとメガロポリス化する東京に反比例するかのように地方は疲弊し、それと同時に地域や家族の基盤も揺らいで、「勝ち組」「負け組」などという嫌な言葉で分断された孤独な個人が溢れる国になってしまった。

別れた妻塔子が啓吾に言った、「私たち女は心と身体で生きる。だけど、あなたたち男は、目と頭だけで生きようとする。」という印象的な言葉も、合理性や効率ばかりを優先し、心や体で感じる感覚などをないがしろにしてきた男性主導の社会の問題と読み替えることも可能であろう。

今でもそうかもしれないが、我々が社会人になった頃は特に、売上や組織を守るためなら多少の矛盾を感じても眼を瞑るのが大人だという暗黙の了解があった気がする。だから、啓吾のように個人の倫理観を愚直に貫き通す生き方は、今時の言葉で言うと「空気が読めない人」などと呼ばれ組織からスピンアウトしてしまいがちだ。

そんな彼が選んだのは、故郷に帰って小さな商売を始めるという身の丈サイズで地域社会と共に生きる道だった。規模やダイナミズムには欠けるが、自分に正直に、常に相手の顔が見える距離感で続けていくシンプルで根元的な仕事の形態だ。

戦後、開発を優先した都市の拡張が中心部の空洞化を招いたことなどから、「コンパクトシティ」や「創造都市」といったキーワードでコミュニティの再生や住みやすいまちづくりを目指そうとする動きが近年盛んになってきている。そんな意味からも、地域と結びついた小規模商店の重要性は再認識されてきているし、今後、啓吾と同じような選択をする人間も増えてくるであろう。

作中の後半部分で、「もしかしたら、東京ではなく、あの博多の町で彼女と再会できたことが、自分にそうした気持ちをより強く甦らせてくれたのかもしれない。」と啓吾が想いをめぐらすシーンが出てくるが、過酷な競争社会で傷ついた人間性を癒しながら、そんな第二の人生を送るには、ヒューマンスケールに近い博多という街は理想的な場所だったのかもしれない。私自身も十代の頃にはよく理解できなかったが、年齢を重ねるにしたがって、自然や新鮮な食べ物、適度なコミュニティなどがバランスよく揃った博多のありがたみを体感できるようになってきた。

白石氏は、作品を通して常に「いかに生きるか」という真摯な課題を突きつけてくる作家だ。緻密に組み立てられたストーリーに引き込まれるうちに、読者は否応なく、登場人物とともに自問自答を繰り返さざるをえなくなる。

昨年、私が発起人のひとりとなって開催している「ブックオカ」という本に関するイベントで、白石氏をゲストに迎え、お話を聞く機会を持った。その際、「メディアの報道を受けてイラクなどの惨状に心を痛める前に、自分の目の前にいる人間をどうしたら幸せに出来るかを考えるほうが大事ではないか」といった趣旨の発言をされていたのが一番印象に残った。そんな言葉を思い起こしながら本書を読み返してみると、この物語に込めた氏の想いがより深く胸に迫ってくるような気がする。

氏は、その後、短編集『どれくらいの愛情』（二〇〇六年・文藝春秋刊）でも、博多を舞台にした三編を発表し、その翌年発売の、ほとんど自伝と言ってもいい『永遠のとなり』（二〇〇七年・文藝春秋刊）では、東京から博多に戻った同級生ふたりの友情をテーマにした物語を紡いでいる。ぜひ、あわせてご一読をお勧めしたい。

二〇〇六年四月　光文社刊

光文社文庫

もしも、私《わたし》があなただったら
著　者　白《しら》石《いし》一《かず》文《ふみ》

2008年7月20日　初版1刷発行
2010年5月25日　4刷発行

発行者　駒井稔
印　刷　萩原印刷
製　本　関川製本

発行所　株式会社　光文社
〒112-8011　東京都文京区音羽1-16-6
電話（03）5395-8149　編集部
8113　書籍販売部
8125　業務部

ISBN978-4-334-74442-7　Printed in Japan

組版　萩原印刷

お願い　光文社文庫をお読みになって、いかがでございましたか。「読後の感想」を編集部あてに、ぜひお送りください。

　このほか光文社文庫では、どんな本をお読みになりましたか。これから、どういう本をご希望ですか。

　どの本も、誤植がないようつとめていますが、もしお気づきの点がございましたら、お教えください。ご職業、ご年齢などもお書きそえいただければ幸いです。当社の規定により本来の目的以外に使用せず、大切に扱わせていただきます。

光文社文庫編集部

阿川弘之　海軍こぼれ話
阿川弘之　新編 南蛮阿房列車
阿川弘之　国を思うて何が悪い
浅田次郎　きんぴか　全三冊
浅田次郎　見知らぬ妻へ
浅田次郎　月下の恋人
浅田次郎選 日本ペンクラブ編　人恋しい雨の夜に
嵐山光三郎　釣って開いて干して食う。
安西水丸　夜の草を踏む
池澤夏樹　アマバルの自然誌
池澤夏樹 本橋成一（写真）　イラクの小さな橋を渡って
五木寛之　狼たちの伝説
五木寛之選 日本ペンクラブ編　こころの羅針盤《コンパス》
井上ひさし 生活者大学校 講師陣　あてになる国のつくり方
内海隆一郎　鰻《うなぎ》のたたき

内海隆一郎　鰻の寝床
内海隆一郎　風のかたみ
内海隆一郎　郷愁《サウダーデ》
遠藤周作　私にとって神とは
遠藤周作　眠れぬ夜に読む本
遠藤周作　死について考える
大西巨人　神聖喜劇　全五巻
大西巨人　迷宮
大西巨人　三位一体の神話（上・下）
大西巨人　深淵（上・下）
荻原浩　神様からひと言
荻原浩　明日の記憶
荻原浩　あの日にドライブ
奥田英朗　野球の国
奥田英朗　泳いで帰れ